会話に挑戦！
中級前期からの
日本語ロールプレイ

中居順子・近藤扶美・鈴木真理子・小野恵久子・荒巻朋子・森井哲也 著

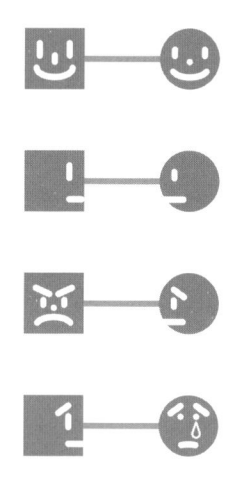

スリーエーネットワーク

© 2005 by Nakai Junko, Kondo Fumi, Suzuki Nonoho, Ono Ekuko, Aramaki Tomoko and Morii Tetsuya

All rights reserved. No part of this publication may be reproduced, stored in a retrieval system, or transmitted in any form or by any means, electronic, mechanical, photocopying, recording, or otherwise, without the prior written permission of the Publisher.

Published by 3A Corporation.
Trusty Kojimachi Bldg., 2F, 4, Kojimachi 3-Chome, Chiyoda-ku, Tokyo 102-0083, Japan

ISBN978-4-88319-361-5 C0081

First published 2005
Printed in Japan

＊はじめに

　私たちは、留学生がちょっとしたコミュニケーション上の行き違いから留学生活がうまくいかなくなった例を数多く見てきました。トラブルを防ぎ、よりよい人間関係を築くためにはどうすればよいのかと考え、「ロールプレイ」を取り入れた会話練習を行ってみました。その結果、学習者が自分の力で問題解決に挑み、その状況の中で何とか課題を達成しようとし、コミュニケーションを行う能力が向上したことを実感しました。これは、学習者が場面と結びついた多様な言語表現を効果的に学ぶことができたからだと思います。そこで、「ウォームアップで何でも言い合えるクラスの雰囲気作りをし、学習者同士がロールプレイを通して、会話の流れの大切さなどに気づいていく」という手法を取り入れたロールプレイを考えました。

　本書は、日本で学ぶ留学生が生活の中でよりよい人間関係を築き、それぞれの留学目的を達成してほしいという願いを込めて作りました。まだまだ不十分な点も多々あるかと思いますが、お気づきの点、ご意見、ご感想などをいただければ幸いです。

　最後に、本書の作成に当たりましてご協力いただきました日本語学校の諸先生方、実践日本語教育21（J.N.K）のみなさん、留学生のみなさんに厚くお礼申し上げます。また、編集の過程において有益な助言・ご尽力をいただいたスリーエーネットワークの菊川綾子さん、山本磨己子さん、萩原弘毅さんに心から感謝いたします。

2005年8月
著者一同

目　次

特色	4
教材の使い方と注意点	5
気づきシートの使い方	7

みんなと親しくなろう

	＜主な機能＞		＜CD＞
1. クラスで自己紹介をする	自己アピール	14	1
2. 自分の国の料理の作り方を教える	手順説明・褒める	19	2
3. 先生を飲み会に誘う	誘う	26	3
4. 先生の誘いを断る	断る	32	4
5. 友達を慰める・励ます	慰め・励まし	38	5
6. パーティーで初対面の人と話す	話題の共有	43	6

快適に暮らそう

	＜主な機能＞		＜CD＞
7. 電話をかけて伝言を頼む	電話で伝言	50	7
8. 医者に症状を説明する	症状説明	56	8
9. 財布をなくして説明する	形状・状況説明	62	9
10. 希望の部屋を探す	希望	67	10
11. 電話でアルバイトに応募する	問い合わせ	73	11

CONTENTS

12. 日にち変更の許可を求める	許可求め	79	12
13. 日常生活でいろいろなことを頼む	依頼	85	13
14. 先生に訂正を求める	訂正求め	91	14
15. 手伝いを申し出る	申し出	96	15
16. 注文の間違いを言う	苦情を言う	102	16
17. ごみの出し方を注意されて謝る	謝る	108	17
18. 交通事故の状況を説明する	状況説明	114	18

大学生活に備えよう

	＜主な機能＞		＜CD＞
19. 合宿場所の相談をする	提案・相談	122	19
20. 面接の練習をする	質問に答える	128	20
21. 進学について教えてもらう	助言求め	134	21
22. 友達と意見を出し合う	意見を言う・反論する	139	22

別冊

授業実践例「5. 友達を慰める・励ます」
会話を考えよう例

＊特色

Ⅰ．「気づき」を多く生み出すためのロールプレイ
　本書では、それぞれの場面で使われるであろう表現を事前に提示しないで、ロールカードに書かれた「役割、状況」で会話活動を行います。会話がスムーズに発展しなかったりしますが、この活動の過程で学習者自身に「気づき」を促します。その「気づき」とは、自分に何が足りなかったのか、どんな言語知識、言語表現が必要だったのかを学習者自身が認識するものです。その後に再度ロールプレイをすることによって、場面と結びつけられた言語表現がはっきりと印象づけられます。同時に、場面に応じた課題達成言語能力を伸ばし、実践的な運用力を身につけることができます。

Ⅱ．留学生の実生活に役立つロールプレイ場面
①留学生が実際に出会う可能性の高い場面や状況から言語行動場面を取り上げました。
②日本留学試験に多く取り上げられている場面や機能、状況を分析し、構成しました。
③留学生にすぐに役立つ情報としての＜コラム＞や、ロールカードに付随した＜資料＞をつけました。

Ⅲ．教師のための使いやすさ
①本書は、実際に教室活動で使用して改善してきたものです。
②目的によっても選べるように、目次に機能を提示しました。
③参考として、本書の使い方がよくわかる「授業実践例」をつけました。
④何でも言い合えるクラスの雰囲気作りやロールプレイを見る視点を養うために「気づきシート」をつけました。

＊教材の使い方と注意点

Ⅰ．教師の役割

　本書では、教師を活動する上での「学習援助者」（ファシリテーター）と考えています。「気づきを多く生み出すためのロールプレイ」の授業では、教師は学習者の自発的な発話や間違いを大切にします。その中に「学習者の気づき」があり、次へのステップがあります。たとえ失敗しても、自分で考えた表現が状況に合うかどうかに気づいていく、その「過程」が言語習得への最良の方法だと考えます。そして学習者がある場面・状況の中で、課題が達成できるように手助けすることが重要です。

Ⅱ．手順

　いろいろな使い方ができますが、ひとつの場面で行う活動をだいたい90分から100分に設定して紹介します。

1．＜タイトル＞と＜目的＞　2分〜5分
　　全員で読んで、活動の目的を確認する。

2．＜ウォームアップ＞　10分〜15分
　　ロールプレイへの動機づけや楽しい雰囲気作りをする。本書にあるような質問をすることでロールプレイの場面に入りやすくしたり、以下のような活動もできる。
　①＜ウォームアップ＞の質問の中で、ロールプレイに必要な語彙の導入をする。自然な会話の中で、新しい語彙への関心を促し、導入する。
　②学習者のレベルに合わせて＜共通資料＞の読み合わせをする。内容について質問し合ったり、4、5人のグループで話し合ったりする。
　③写真、パンフレットを用意したり、＜コラム＞を利用したりして話し合う。

3．＜ロールプレイ＞　10分
　1）①ロールカードを読む　5分
　　　　教師は、学習者がロールカードの内容（役割、状況、すること）を十分理解できるように、「A」、「B」それぞれのロールカードについて質問したり、分からない語彙があれば補足して説明をする。
　　②ペア練習　5分
　　　　教師は、学習者間を回り、発話のサポートをする。ただし、学習者に「適切

な表現は何か」などの質問を受けても、即答しないで自分たちで考えるように促す。

2）発表と気づいたことを話そう　15分

ペアで発表する。前に出て動作をつけて発表する。発話時の「非言語行動」の重要性に気づくことも大切である。発表者以外の学習者には、発表を注意深く見るように指示をする。場合によっては、教師は発表を録音してフィードバックをしたり、発表後に学習者同士で意見を交換させたりして、学習者の「気づき」を促す。　※＜気づきシート＞①使用　（＜気づきシート＞①は8ページ参照）

4．＜会話を考えよう＞と＜表現・語彙＞　15分

会話の空欄に、どんなことばが入るのかを全員で予測しながら記入する。学習者からの多様な意見を大切にして、会話の流れを確認する。適宜、＜表現・語彙＞を口頭で練習する。ＣＤを聞いていろいろな表現があることを認識したり、話し方やイントネーションによっても印象が違うことに気づく。

5．＜もう一度、発表しよう＞　30分

＜会話を考えよう＞で会話の流れや表現を確認して、再度ペアで発表する。ほかの学習者は、発表を見る時に＜気づきシート＞②に注意して聞き、発表後に発表者にフィードバックする。もし、時間があれば、学習者に会話を書かせて自分の会話を振り返らせる。※＜気づきシート＞②・＜発表した会話を書こう＞使用（＜気づきシート＞②は9ページ、＜発表した会話を書こう＞は11ページ参照）

6．＜コラム＞　適宜

＜ウォームアップ＞に利用したり、その日の「ロールプレイのまとめ」として全員で読んだりする。「ディスカッションの資料」、「読解教材」としても利用できる。また、学習者が「より豊かな学生生活を送るための情報」としても活用できる。

Ⅲ．ロゴについて

話し方は、人間関係や場面、状況によっていろいろ変わるが、本書では便宜的に以下のように二つのロゴを使っている。

……敬意を表す関係、場面、状況で使用する表現。便宜的に丁寧表現（です、ます）を含む。

……カジュアルな関係、場面、状況で使用する表現。

＊気づきシートの使い方

　ロールプレイのあと、気がついたことをみんなで話すことが、次のステップへつながります。しかし、大切なのは、発表の優劣を決めたり、欠点を取り上げるために話すのではないということです。まず、話すことに慣れるようにクラスの雰囲気を作りましょう。そして、何でも言い合える雰囲気ができたら、ロールプレイを見る視点を育てていきましょう。

<気づきシート>①の使い方　　何でも言いあえるクラスの雰囲気作りのために

※友達に短い感想を書いてみましょう。
　「発表者のよいところを褒める」「ひとことよいところを言う」ことから始めましょう。

> ・いつもより優しい「声」だった。　・声が大きくてよかった。　・顔の表情がよかった。
> ・「あいづち」がよかった。　・会話と顔の表情が合っていた。　・気持ちが入ってすごかった。
> ・相手との関係を考えて話していてよかった。　・会話が自然でいいと思った。

　…などの「短い感想」で、安心して話せる雰囲気を作りましょう。

<気づきシート>②の使い方　　ロールプレイを見る視点を育てるために

※「発表を見るポイント」にしるしをつけましょう。
　「見るポイント」が七つ書いてあります。ポイントにしるしをつけて感想を言いましょう。（シートに慣れるまでは、「見るポイント」を一つか二つにするなど工夫してください。）見るポイントを意識することで、会話の向上に役立てましょう。

※短い感想を書きましょう。
　感想をもらった人が、もう一度、発表してみたくなるようなメッセージも書きましょう。感想を書くことは、気づいたことを確認したり、忘れないようにするだけでなく、クラスのコミュニケーションを豊かにすることにもつながります。

※「気づきシート②」は、安心して何でも言えるクラスの雰囲気ができてから使用しましょう。
※本書の「気づきシート」以外にも、自分たちで使いやすいものを作ってみましょう。

＜気づきシート＞①

・発表を聞いて、みんなで気づいたことを話しましょう。
・友達のよかったところを書いてあげましょう。

＜短い感想の例＞

> 短い感想 ＿＿＿○○○○＿＿＿さんへ
> 聞くとき、顔がにこにこしていて、自然でした。敬語もたくさん使っていました。アドリブがおもしろくてよかったです。

＊もらってうれしくなるメッセージカード＊

短い感想 ＿＿＿＿＿＿＿さんへ

短い感想 ＿＿＿＿＿＿＿さんへ

短い感想 ＿＿＿＿＿＿＿さんへ

短い感想 ＿＿＿＿＿＿＿さんへ

短い感想 ＿＿＿＿＿＿＿さんへ

短い感想 ＿＿＿＿＿＿＿さんへ

＜気づきシート＞②

・発表のあとで、みんなでわいわい話しましょう。

> 自然な感じでよかったよ！　ことばが分からないとき、別のことばで言ってたのも！

> あはは、次は、もっとうまくやるよ。

・聞きながらしるしをつけて、あとで話しましょう。

◎ とてもよかった　　○ まあまあよかった　　△ ちょっとアドバイス

発表を見るポイント	発表者	発表者	発表者	発表者
①「声の大きさ」や「話す速さ」はよかった？ ＊はずかしいと声が小さかったり、速くなったりするよね				
②「視線」や「顔の表情」「体の動き」はよかった？ ＊普通、下を向いたまま会話はしないよね				
③感情が込められていた？ ＊楽しいことは楽しく、怒るときは怒って聞こえるといいね				
④「あいづち」などを上手に使っていた？ ＊ええ、うん、ああ、そう、あのう、…も大切				
⑤分からないとき「確認」をしていた？ ＊「〜ですね」「〜何ですか」…と確認するのも大事				
⑥相手との関係を考えて話していた？ ＊会話の相手は友達？　目上の人？　それとも…				
⑦ロールプレイの目的は達成できた？ ＊どんなことばや表現が役に立っていた？				

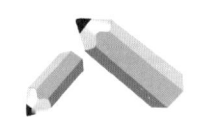

時間に余裕があったら
<発表した会話を書こう>

目的：①よいところや間違いを再確認　②正確さの向上　③記録・記念

やり方：二人で発表した会話を交互に書いて筆談をする。

13の例

会話のテーマ＿＿＿＿先生に頼む＿＿＿＿　名前＿ミン〇〇　許〇〇＿

学生：ミン先生、今よろしいでしょうか。

先生：ええ、何でしょうか。

学生：じつは、進学の作文のことなんですが、見ていただけないでしょうか。今、持ってきているんですが…。

先生：今持ってきたの？　今は時間がなくて、見るのは無理なんだけど。

学生：すみません、早く見ていただきたくて…。

先生：今日は仕事があるから、別の日でいい？

学生：そうですか。あしたはお時間ありますか。

先生：うん、あしたは用事がないからいいですよ。あした、もう一度来てください。

学生：はい、あした、また来ます。先生、本当にありがとうございます。

先生：じゃ、また、あした。

会話のテーマ＿＿＿＿＿＿＿＿＿＿＿＿＿＿＿＿＿＿＿　名前＿＿＿＿＿＿＿＿
（かいわ）　　　　　　　　　　　　　　　　　　　　　　（なまえ）

みんなと親しくなろう

みんなと親しくなろう

1. クラスで自己紹介をする

目的 — 目的の確認

1. 自分のことを上手にアピールして、自己紹介することができる。

ウォームアップ — ロールプレイへの準備

1. 今までみんなの前で自己紹介をしたことがありますか。どんな自己紹介が面白かったですか。
2. みんなに名前を覚えてもらうためには、どんな自己紹介がいいでしょうか。話し合ってみましょう。

> わたしは、王志明（ワンツーミン）です。わたしの名前には「いつも明るく志を持ってがんばるように」という両親の願いが込められています。

> わたしは、gongju（ごんじゅ）です。家も顔も普通なのに「プリンセス（王女様）」という意味です。

ロールプレイ　今持っている力で課題達成　　　＊Aさんから話しましょう

ロールカード A

役　　割：学生
状　　況：日本語の勉強をするために日本へ来ました。今週から新学期が始まりました。クラスで、みんなと友達になるために自己紹介をします。特に自分の名前をアピールしながら話そうと思っています。
すること：自分のことを話したりBさんのことを聞いたりして、お互いに楽しく自己紹介をしてください。

ロールカード B

役　　割：学生
状　　況：日本語の勉強をするために日本へ来ました。今週から新学期です。クラスでみんなと友達になるために、自己紹介をします。特に自分の名前をアピールしながら話そうと思っています。
すること：Aさんの話を聞いたり自分のことを話したりして、お互いに楽しく自己紹介をしてください。

発表して、気づいたことを話そう　　　＊「気づきシート」使用

Q：自分の言いたいことが話せましたか。
　　友達の会話は、どんなところがよかったですか。
　　自分と違うところは、どんなところでしたか。

みんなと親しくなろう ⑥

会話を考えよう　会話の予測　　　＊ＣＤ使用

①会話の流れを確認しながら次の＿＿＿にどんなことばが入るのか、考えてみましょう。
②ＣＤを聞いて、便利だと思ったことばや気がついたことについて話しましょう。

（Ａ：学生　キム　Ｂ：学生　リン）

Ａ：はじめまして。①＿＿＿＿＿＿＿＿＿＿＿＿＿＿＿＿＿＿＿。

Ｂ：ああ、キムさん。はじめまして。リンです。台湾から来ました。どうぞよろしく。

Ａ：わたしの名前はお金の「金」と書いて②＿＿＿＿＿＿＿＿＿＿＿＿が、台湾も同じですか？

Ｂ：いいえ、この漢字は台湾にもありますが、読み方は違いますね。「ジン」と読みますよ。

Ａ：そうですか。この金という漢字は③＿＿＿＿＿＿＿＿＿意味なので、よくわたしにお金があると思われるんですが、実際、お金は全然ありません。貧乏な金です。よろしく。

Ｂ：へえ、貧乏な金さんですか。わたしは木曜日の「木」という漢字を二つ書いて、「リン」と読みます。日本語で「林」とも読みますから、みんなわたしのことを「林さん」と呼びます。だからキムさんもわたしのことを「林」と呼んでください。

Ａ：はい、じゃ、台湾の林さんね。④＿＿＿＿＿＿＿＿＿＿＿＿。

Ｂ：こちらこそ、よろしく。

会話の流れ

1. あいさつをする

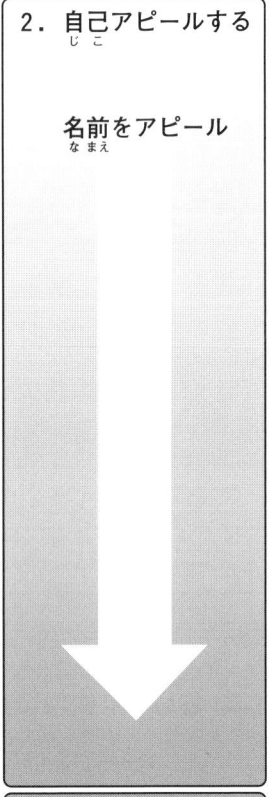

2. 自己アピールする

　　名前をアピール

　　↓

3. 会話を終える

表現・語彙 状況に応じた話し方や関連語彙を学ぶ

1. 自己紹介では、どんなことを話したらいいでしょうか。例のようにいろいろ話しましょう。

①＜趣味について＞
例）
- わたしの趣味は、日本のドラマを見ることです。（日本のドラマを見ることが好きです。）
- ドラマのことなら何でも聞いてください。（～ならわたしに任せてください。）
- スノーボードが得意です。

②＜好きな食べ物・タレント・歌・映画などについて＞
例）
- わたしの好きな食べ物は、ラーメンです。特にみそラーメンが好きです。

③＜将来の夢について＞
例）
- 日本へは、ケーキの勉強に来ました。そして将来は、国へ帰ってケーキ屋を経営したいと思っています。

④＜ニックネームについて＞
例）
- わたしは顔が丸いので、友達からいつも「マルちゃん」と呼ばれています。ですから、皆さんも「マルちゃん」と呼んでください。

⑤＜名前について＞
例）
- わたしの名前は、金（キム）です。この金（キム）という漢字は、日本語で金（きん）とかお金という意味なので、皆さん、わたしにお金があると思うかもしれませんが、お金は全然ありません。貧乏な金（キム）です。よろしく。

みんなと親しくなろう

もう一度、発表しよう　コミュニケーション力の向上　＊「気づきシート」使用

テーマを選んでロールプレイをしましょう。

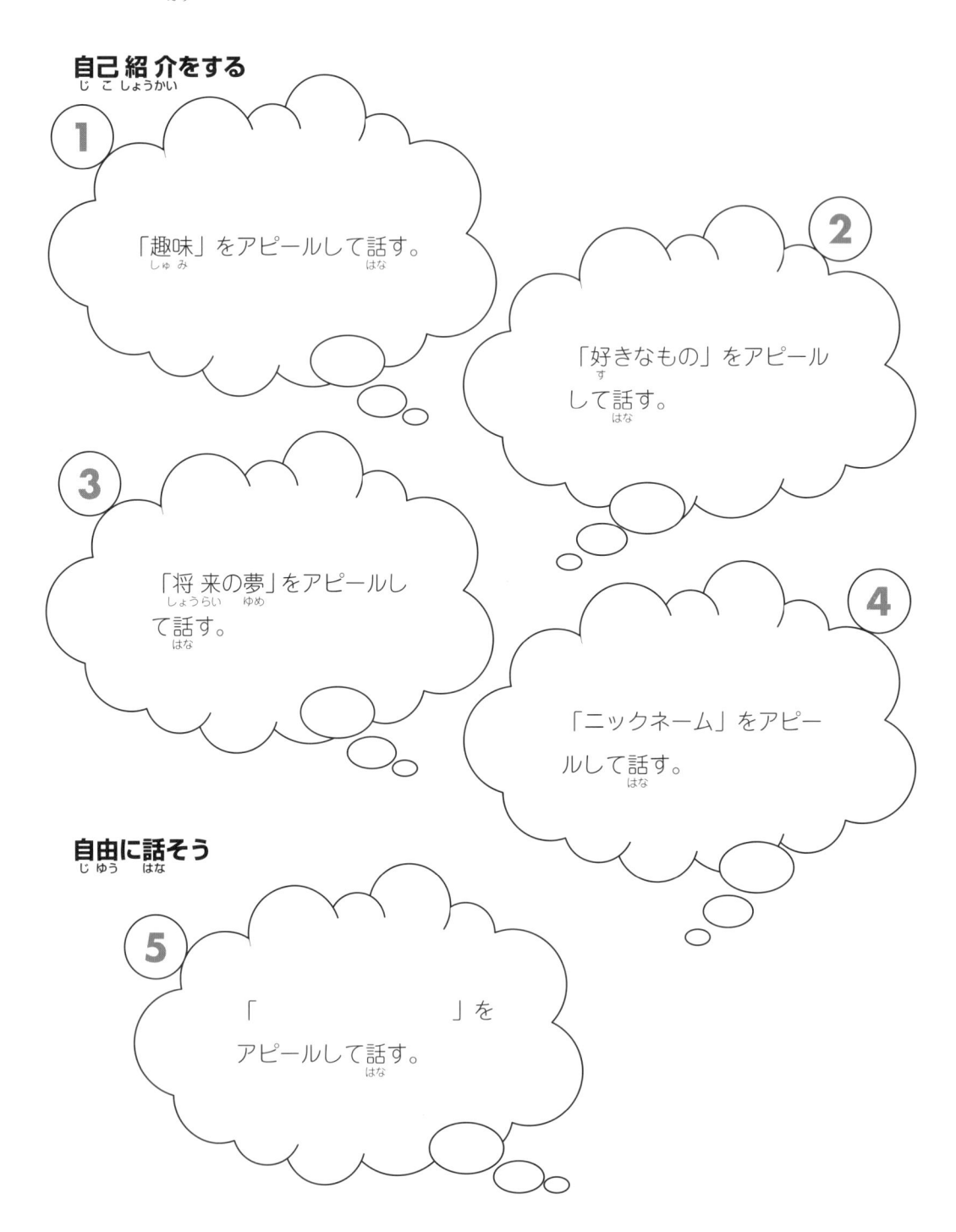

自己紹介をする

1. 「趣味」をアピールして話す。

2. 「好きなもの」をアピールして話す。

3. 「将来の夢」をアピールして話す。

4. 「ニックネーム」をアピールして話す。

自由に話そう

5. 「　　　　　」をアピールして話す。

みんなと親しくなろう

2. 自分の国の料理の作り方を教える

目的 — 目的の確認

1. 料理の作り方などの手順を説明できる。
2. 相手を褒めることができる。

ウォームアップ — ロールプレイへの準備

1. あなたの国には、どんな料理がありますか。だれかに自分の国の料理を作ってあげたことがありますか。

2. 次の絵の料理は何という料理ですか。食べたことがありますか。今までどんな日本の料理を食べたことがありますか。

みんなと親しくなろう

3. 絵を見て、料理に使うことばを入れてください。ほかにもどんなことばがありますか。友達と話し合ってみましょう。

例）野菜を10分くらい（　煮る　）。
　a．野菜を小さく（　　　　）。
　b．卵を（　　　　）。
　c．魚を網で（　　　　）。
　d．野菜と豚肉を（　　　　）。
　e．天ぷらを（　　　　）。

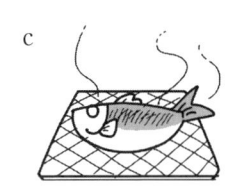

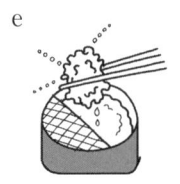

<共通資料>

牛丼

材料（2人分）

牛肉（薄切り）	150ｇ		水	カップ1/2
たまねぎ	1/2個		酒	大さじ1
ご飯	2杯分	(A)	砂糖	小さじ1
			しょうゆ	大さじ1
			みそ	少々（隠し味）

作り方：①牛肉を食べやすい大きさに切り、たまねぎは薄切りにする。
　　　　②なべに油を入れ、牛肉とたまねぎをいためる。（A）を入れて、5～6分煮る。
　　　　③どんぶりに温かいご飯を盛り、②をのせる。

みんなと親しくなろう

ロールプレイ　今持っている力で課題達成　　＊Aさんから話しましょう

ロールカード A

役　　　割：留学生
状　　　況：友達が家に遊びに来たので、日本人から教えてもらった牛丼を作りました。一緒に食べています。
すること：友達に牛丼の作り方を教えてください。

ロールカード B

役　　　割：留学生
状　　　況：友達の家に遊びに行ったら、日本料理をごちそうしてくれました。今一緒に食べていますが、とてもおいしいので、作り方を知りたいと思いました。
すること：料理を褒めて、料理の名前と作り方を聞いてください。

発表して、気づいたことを話そう　　＊「気づきシート」使用

Q：自分の言いたいことが話せましたか。
　　友達の会話は、どんなところがよかったですか。
　　自分と違うところは、どんなところでしたか。

2　自分の国の料理の作り方を教える

会話を考えよう　会話の予測　　　＊ＣＤ使用

①会話の流れを確認しながら次の_____にどんなことばが入るのか、考えてみましょう。
②ＣＤを聞いて、便利だと思ったことばや気がついたことについて話しましょう。

（Ａ：留学生　Ｂ：留学生）

Ａ：これ、先週、日本人の友達から教えてもらった料理なんだけど、食べてみてくれる？
Ｂ：おいしい。料理、上手だね。
Ａ：そんなことないよ。これ、すごく簡単なんだよ。
Ｂ：本当？　①_____？
Ａ：あのね。②_____、牛肉を食べやすい大きさに切って、たまねぎは薄切りにしてね。
Ｂ：うん、薄切りね。
Ａ：③_____、なべに油を入れて、牛肉とたまねぎを入れて、いためるでしょう。それに、水、酒、砂糖、しょうゆ、それから、みそを少し入れて５、６分煮るんだ。
Ｂ：みそを入れるの？
Ａ：うん。これが、隠し味になるんだ。
Ｂ：へえ。
Ａ：④_____、それを温かいご飯の上にのせて、でき上がり。簡単でしょ？　肉を煮すぎないのが、コツだよ。
Ｂ：ふーん、なるほど。ありがとう。今度作ってみよう。
Ａ：うん。作ってみて。

会話の流れ

1. 話しかける
2. 手順の説明をする
   - 手順1
   - 手順2
   - 手順3
3. 会話を終える

表現・語彙 状況に応じた話し方や関連語彙を学ぶ

1. 次の□の中のことばを使って、手順を説明する練習をしましょう。

> まず、始めに、最初に、次に、それから、そして、最後に

①＜野菜スープの作り方＞
 1)（　　　　）なべに水と野菜を入れて、沸騰させます。
 2) それから、スープの素を入れて、野菜が軟らかくなるまで煮ます。
 3)（　　　　）塩を少し入れたら、でき上がりです。

②＜ＡＴＭの使い方＞
 1) まず、画面の 引き出し の所を指で触れてください。
 2)（　　　　）キャッシュカードを入れてください。
 3) それから、暗証番号を押してください。
 4)（　　　　）金額を押してください。
 5) 最後に、画面の 確認 の所を指で触れると、お金が出てきます。

2. 次のようなとき、何と言って友達を褒めますか。また、褒められたら、何と答えますか。

①友達がすてきな服を着ているとき

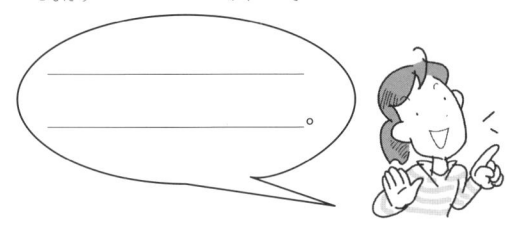

　　　　　　　　　　　　　　　　　　　ありがとう！

②友達が日本語でスピーチをしたとき

　すごくよかったよ。
　日本語上手なんだね。

もう一度、発表しよう　コミュニケーション力の向上　＊「気づきシート」使用

テーマを選んでロールプレイをしましょう。

友達に手順を説明する

1. 自分の国の料理の作り方を説明する。

2. 電子辞書でことばの意味の調べ方を説明する。

3. 日本へ来てから覚えた料理の作り方を説明する。

4. 学校へ出す欠席届など、いろいろな届け出の書き方を説明する。

5. （銭湯や友達の家での）おふろの入り方を説明する。

コラム 留学生活に役立てよう

日本人がよく食べるもの

　日本の代表的な料理とは何でしょうか。すし、天ぷら、そば、うどん、などが思い浮かぶかもしれません。しかし、日本人はそういうものを毎日食べているわけではありません。家庭では、肉じゃが、野菜いため、魚の塩焼き、カレーライス、ラーメン、ハンバーグ、豚カツなど、実際は、もっと多様でいろいろなものを食べています。特に、カレーライス、ラーメン、ハンバーグなどは、もともと外国から入ってきた料理ですが、今や日本人の食卓には欠かせないものです。子供たちの好きな料理のベストテンには、いつもこれらの料理が登場しています。日本にあるカレールーなどは、インドに行ってもないそうですし、日本のラーメンと中国のラーメンは全然違うものだそうです。これらは、もう日本の料理になってしまっているのかもしれません。

みんなと親しくなろう

3. 先生を飲み会に誘う

目的 — 目的の確認

1. 友達や先生を飲み会などに誘うことができる。
2. 相手によって話し方を変えて誘うことができる。

ウォームアップ — ロールプレイへの準備

1. 今まで日本人を誘ったり、誘われたりしたことがありますか。
2. あなたの国では、先生と学生が交流するのは、どんなときで、どんなことをしますか。
3. 先生を誘うとき、どんなことに気をつけますか。

ロールプレイ — 今持っている力で課題達成

＊Aさんから話しましょう

ロールカード A

役　　割：学生（飲み会の幹事）
状　　況：前期の授業が終わるので、クラスのみんなで先生を囲んで飲み会をしたいと思っています。再来週になると帰省する学生が多いので、できれば来週、行いたいと思います。時間は午後6時ごろからで、場所は未定です。
すること：先生を飲み会に誘い、都合を聞き、曜日を決めてください。

みんなと親しくなろう

ロールカード B

役　割：先生
状　況：毎日忙しいですが、クラスの学生とはできるだけ交流したいと思っています。
すること：学生が飲み会に来てほしいと言ってきます。来週の予定をみて、飲み会の曜日を決めてください。

＜来週の予定＞

	月	火	水	木	金
予定	補講 午後5時～7時	会議 午後2時～4時	授業 午後4時～6時	卒業生飲み会 午後6時～	研究会 午後5時～7時

3 先生を飲み会に誘う

発表して、気づいたことを話そう　　＊「気づきシート」使用

Q：自分の言いたいことが話せましたか。
　　友達の会話は、どんなところがよかったですか。
　　自分と違うところは、どんなところでしたか。

みんなと親しくなろう ⑥

会話を考えよう　会話の予測　　　　　　　　　　＊ＣＤ使用

①会話の流れを確認しながら次の＿＿＿にどんなことばが入るのか、考えてみましょう。

②ＣＤを聞いて、便利だと思ったことばや気がついたことについて話しましょう。

（Ａ：学生　Ｂ：先生）

Ａ：あのう、先生、今、①＿＿＿＿＿＿＿＿＿＿＿＿＿＿＿＿＿＿＿＿。

Ｂ：ええ、いいですよ。

Ａ：あの、前期の授業も終わるので、クラスの飲み会②＿＿＿＿＿＿＿＿＿＿＿＿＿＿＿＿＿＿。

Ｂ：そう、それはいいですね。

Ａ：先生、③＿＿＿＿＿＿＿＿＿＿＿＿＿＿＿＿＿＿＿＿＿。

Ｂ：そうですねえ。いつごろ？

Ａ：実は、再来週は帰省する学生が多いので、来週中にしたいと思っているんですが。先生、来週④＿＿＿＿＿＿＿＿＿＿＿＿＿＿＿＿＿＿。

Ｂ：そうですねえ、何時から？

Ａ：はい、夜、6時ごろから⑤＿＿＿＿＿＿＿＿＿＿＿＿＿＿＿＿。

Ｂ：じゃ、火曜の会議は4時で終わるから、火曜はどうかな。

Ａ：はい、けっこうです。

Ｂ：場所はどこ？

Ａ：場所は⑥＿＿＿＿＿＿＿＿＿＿＿＿＿＿＿＿＿＿。

Ｂ：じゃ、場所が決まったら、教えてください。来週火曜日ですね。楽しみにしています。

Ａ：はい、場所は決まり次第お知らせします。じゃ、火曜日、⑦＿＿＿＿＿＿＿＿＿＿＿＿＿＿＿＿。

会話の流れ

1. 話しかける
2. 誘う
   - 前置き
   - 誘う
   - 相手の都合を聞く
   - 日時確認
3. 会話を終える

表現・語彙　状況に応じた話し方や関連語彙を学ぶ

1. 人を何かに誘う言い方は、いろいろあります。次の□の中の表現例を使って話しましょう。

・〜んだけど、〜てもらえない？	・〜んですが、〜ていただけませんか。 　　　　　　〜てもらえませんか。
・〜んだけど、〜てくれない？	・〜んですが、〜てくださいませんか。 　　　　　　〜てくれませんか。
・〜（し）ない？	・〜ませんか。
・〜（よ）う。	
・〜一緒にどう？	・〜ご一緒にいかがですか。
・〜かと思って。	・〜かと思いまして。

例）来週、家でパーティーをするんですが、来ませんか。
　　来週、家でパーティーをする予定なんですが、先生、来ていただけませんか。
　　来週、家でパーティーをするんだけど、来ない？

①今度の日曜日、横浜でお祭りがあるので、友達を誘う。
　　_____。

②今度、4、5人でテニスをする予定なので、先生を誘う。
　　_____。

③今晩、友達を食事に誘って、ごちそうしたい。
　　_____。

④コンサートのチケットが2枚あるので、先生を誘う。
　　_____。

みんなと親しくなろう

もう一度、発表しよう　コミュニケーション力の向上　＊「気づきシート」使用

テーマを選んでロールプレイをしましょう。

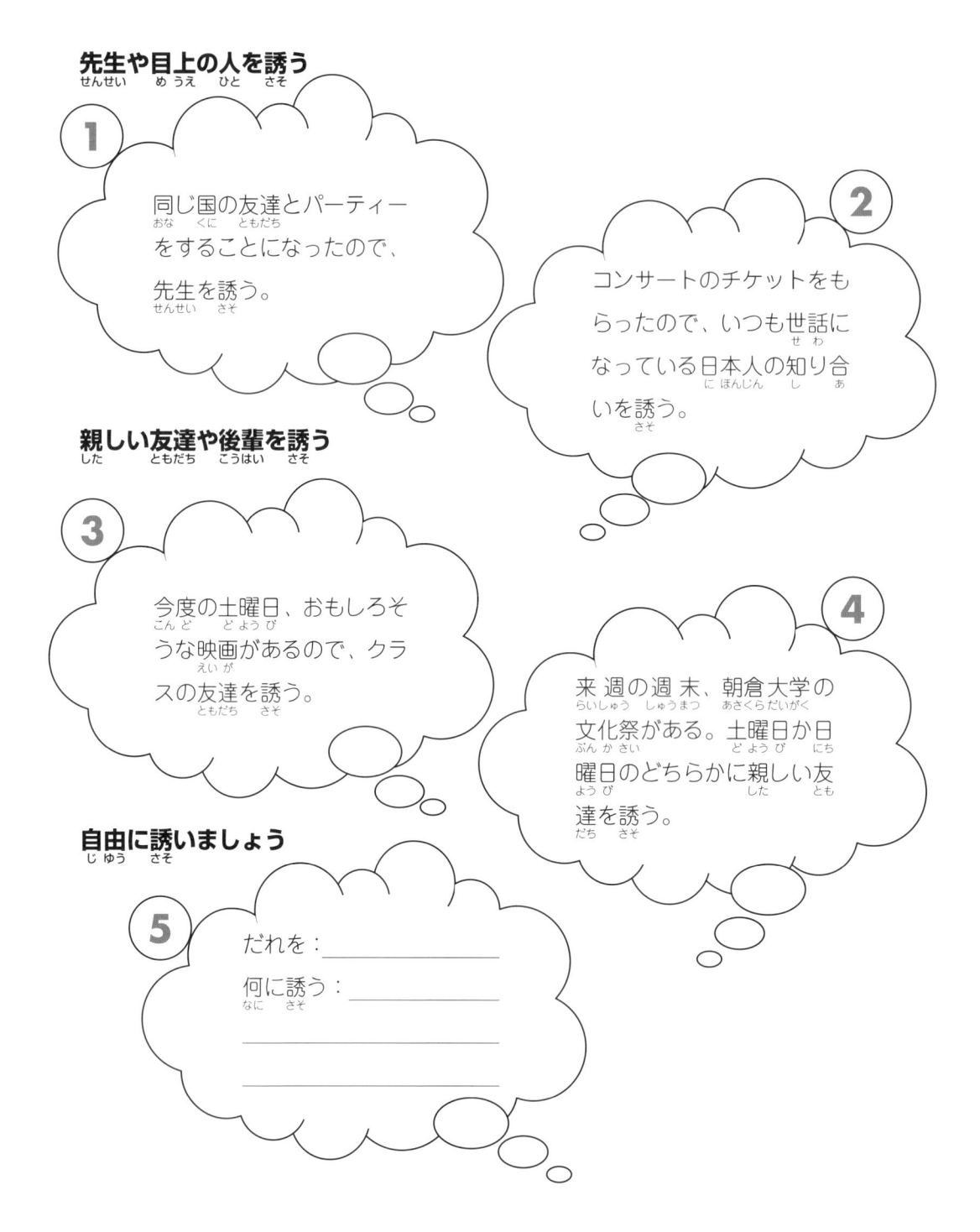

先生や目上の人を誘う

1. 同じ国の友達とパーティーをすることになったので、先生を誘う。

2. コンサートのチケットをもらったので、いつも世話になっている日本人の知り合いを誘う。

親しい友達や後輩を誘う

3. 今度の土曜日、おもしろそうな映画があるので、クラスの友達を誘う。

4. 来週の週末、朝倉大学の文化祭がある。土曜日か日曜日のどちらかに親しい友達を誘う。

自由に誘いましょう

5. だれを：＿＿＿＿＿＿＿＿
   何に誘う：＿＿＿＿＿＿＿＿
   ＿＿＿＿＿＿＿＿＿＿＿＿＿
   ＿＿＿＿＿＿＿＿＿＿＿＿＿

コラム　留学生活に役立てよう

誘われたら…

　「新入生歓迎会」「送別会」「忘年会」など、日本人は学生も社会人も居酒屋などへ飲みに行くことがよくあります。一緒にお酒を飲んでいろいろ話すことによって、より親しくなると考えているからです。誘われることがあったら、行ってみるといいかもしれません。たとえ、お酒が飲めなくても、代わりにジュースを飲んでいればいいので大丈夫です。
　また、日本人の家に招待される機会もあるかもしれませんが、そのときは、お菓子や果物などを持っていくといいでしょう。ごちそうになった場合などは、後で、お礼の手紙を書くか、次に会ったときに、「先日はどうもありがとうございました」などと、お礼を言いましょう。友人なら、手紙の代わりに簡単にメールでお礼を書いてもいいでしょう。

4. 先生の誘いを断る

目的　　目的の確認

1. 相手からの誘いや依頼を上手に断ることができる。
2. 目上の人と丁寧なことばで話すことができる。

ウォームアップ　　ロールプレイへの準備

1. 今まで友達や目上の人から誘いや依頼を受けて、困ったことがありますか。どんなとき、困りましたか。
2. 目上の人からの依頼や誘いを、断ったことがありますか。上手に断ることができましたか。

ロールプレイ　　今持っている力で課題達成

＊Aさんから話しましょう

ロールカード A

役　割：先生
状　況：あした、早明大学に通っている卒業生と一緒に食事をする予定です。学生のBは早明大学を志望しているので、その卒業生に紹介しようと思います。
すること：学生のBを、あしたの食事に誘ってください。

ロールカード B

役　割：学生

状　況：早明大学に入りたいと思っています。機会があったら、早明大学の学生と話をしたいと思っています。先生から、あしたの食事に誘われました。でもあしたは前から友達にアルバイトの代わりを頼まれています。

すること：理由を話して、先生の誘いを断ってください。

発表して、気づいたことを話そう

＊「気づきシート」使用

Q：自分の言いたいことが話せましたか。
　　友達の会話は、どんなところがよかったですか。
　　自分と違うところは、どんなところでしたか。

会話を考えよう　会話の予測　　　＊ＣＤ使用

①会話の流れを確認しながら次の_____にどんなことばが入るのか、考えてみましょう。

②ＣＤを聞いて、便利だと思ったことばや気がついたことについて話しましょう。

（Ａ：先生　Ｂ：学生　イー）

Ａ：イーさん、今、ちょっといい。

Ｂ：はい。

Ａ：あした、早明大学に行っている卒業生と一緒に食事をすることになっているんだけどね。いい機会だから、イーさんも一緒にどうかなと思って…。

Ｂ：ありがとうございます。

　　でも、あのう、あしたですか。

Ａ：うん。ちょっと、急なんだけど。

Ｂ：それが、あしたは①_____。

Ａ：あ、そう。

Ｂ：②_____、前から約束しているものですから…。

Ａ：そうか。じゃ、しかたないね。一度紹介したいと思っていたんだけどね。

Ｂ：とても残念なんですけど…。

Ａ：まあ、急な話だったから。また、今度。

Ｂ：③_____。

　　申し訳ありません。

会話の流れ

1. 誘いを断る

　誘いに対するお礼

　断りの前置き

　理由の説明

　残念な気持ちを言う1

　残念な気持ちを言う2

2. 会話を終える

表現・語彙　状況に応じた話し方や関連語彙を学ぶ

1. 依頼や誘いを断るときの表現は、いろいろあります。次の□の中の表現例を使って話しましょう。

> ・〜ものですから。・〜ので。・〜んです。・〜ことになっていまして…。
> ・〜て…。・それが（〜ので…）。
>
> ・〜ものだから。・〜から。・〜んだ。・〜ことになっていて…。
> ・〜て…。それが（〜から…）。

例）先生：あした、学校の倉庫の整理をするんだけど、手伝ってもらえませんか。
　　学生：それが、申し訳ありませんが、ちょっとあしたは、国の友達が遊びに来る<u>ことになっていまして</u>…。

①先生：来週のパーティーで、国の歌を歌ってくれませんか。
　学生：すみません。それが…。歌は苦手＿＿＿＿＿＿＿＿＿＿＿＿＿＿。
　　　　お役に立てなくて、すみません。

②友達：いいお店を見つけたんだけど、今晩一緒に食べに行かない？
　友達：ごめん、それが風邪を引いて、調子が＿＿＿＿＿＿＿＿＿＿＿＿＿＿。

③友達：ねえ、この電子辞書、来週まで貸してくれない？
　友達：悪いけど、来週、テストがあるから、＿＿＿＿＿＿＿＿＿＿＿＿＿＿。

2. 断ったときの残念な気持ちや申し訳ない気持ちを表す表現を、カジュアルな表現にして話しましょう。

例）申し訳ないのですが…。
　　<u>悪いんだけど</u>…。

①ぜひ、行かせていただきたいんですが…。
　＿＿＿＿＿＿＿＿＿＿＿＿＿＿＿＿＿＿＿＿＿＿＿＿＿＿＿＿＿＿。

②また今度、誘っていただければと思います。
　＿＿＿＿＿＿＿＿＿＿＿＿＿＿＿＿＿＿＿＿＿＿＿＿＿＿＿＿＿＿。

③土曜日なら、大丈夫なんですが…。
　＿＿＿＿＿＿＿＿＿＿＿＿＿＿＿＿＿＿＿＿＿＿＿＿＿＿＿＿＿＿。

みんなと親しくなろう

もう一度、発表しよう
コミュニケーション力の向上　　＊「気づきシート」使用

テーマを選んでロールプレイをしましょう。

誘いを断る

1 友達から寮の部屋で一緒にビデオを見ないかと誘われた。でも、あしたテストがあって、勉強しなければならない。

2 先輩から、土曜日みんなで一緒にカラオケに行かないかと誘われた。（断る理由は自分で考えよう）

3 来週の土曜日に、先生の家に招待された。（断る理由は自分で考えよう）

依頼を断る

4 友達から来月の初めに引っ越しをするので、手伝ってくれないかと頼まれた。でも、その日はアルバイトが休めない。

5 先輩からあしたカメラを貸してくれないかと頼まれた。（断る理由は自分で考えよう）

コラム 留学生活に役立てよう

誘いの上手な断り方

　相手の好意的な誘いを断るのは難しいものです。特に、先生や目上の人からの誘いを断るときは、相手に失礼にならないように、丁寧に断りましょう。そのときの話し方としては、あまりはきはきと理由を述べるのではなく、言いにくそうに言いましょう。「日曜日はちょっと…。」などと、文の最後まで言わずに、途中で終わらせる言い方もよく使われます。そのほうが、断るのが残念で、相手に申し訳ないという気持ちが伝わります。
　このように日本人ははっきり断る言い方をあまりしない人が多いようです。そのため、外国人が日本人を誘ったとき、断られているのかどうか分からないという話も、時々聞きます。「〜はちょっと…。」とか「それが…。」「難しいかもしれない」などという表現は、断り表現だと考えるといいでしょう。

みんなと親しくなろう

5. 友達を慰める・励ます

目的　目的の確認

1. 友達の話を聞いて、慰めたり励ましたりすることができる。
2. 相手の気持ちを理解して、話すことができる。

ウォームアップ　ロールプレイへの準備

1. 今まで友達から、失敗した話や失恋した話などを打ち明けられたことがありますか。そのとき、あなたはどうしましたか。何か言ってあげましたか。
2. あなたの国では、友達から失敗した話や失恋した話を打ち明けられたときは、どうしますか。みんなで話してみましょう。

ロールプレイ　今持っている力で課題達成

＊Ａさんから話しましょう

ロールカード Ａ
役　　割：学生 状　　況：夕方、友達のＢさんに会いましたが、ようすがいつもと何となく違って、元気がありません。 すること：Ｂさんから事情を聞いて、慰めたり励ましたりしてあげてください。

みんなと親しくなろう

ロールカード B

役割：学生
状況：今日のクラスで、スピーチ大会の練習をしました。でも緊張しすぎて途中から何も話せなくなってしまいました。午後からは気分が落ち込んで、勉強に集中できませんでした。
すること：今日のことをAさんに話して、自分の気持ちを整理してください。

発表して、気づいたことを話そう

＊「気づきシート」使用

Q：自分の言いたいことが話せましたか。
友達の会話は、どんなところがよかったですか。
自分と違うところは、どんなところでしたか。

5 友達を慰める・励ます

みんなと親しくなろう ⑥

会話を考えよう　会話の予測　　　　　　　　　　　　　　＊ＣＤ使用

①会話の流れを確認しながら次の＿＿＿にどんなことばが入るのか、考えてみましょう。

②ＣＤを聞いて、便利だと思ったことばや気がついたことについて話しましょう。

（Ａ：学生　Ｂ：学生　パク）

Ａ：ねえ、パクさん、①＿＿＿＿＿＿＿＿？　元気ないね。

Ｂ：うん、実は今日、クラスでスピーチ大会の練習をしたんだ。でも話し始めたらすごく緊張してきちゃって、もう何が何だかわからなくなっちゃって…。それで、途中から何も話せなくなっちゃったんだ。あーあ。

Ａ：ふうん、②＿＿＿＿＿＿＿＿＿＿＿＿＿。

Ｂ：うん、もう嫌になっちゃうなあ。

Ａ：でもさあ、一生懸命やったんだし、いつまでも③＿＿＿＿＿＿＿＿＿＿しょうがないよ。だれだってあるよ。あたしなんか、今まで何回④＿＿＿＿＿＿＿＿＿＿＿。

Ｂ：そうなんだ。

Ａ：そうだよ。そんなこと気にすることないよ。この次は⑤＿＿＿＿＿＿＿＿＿＿＿＿！

Ｂ：うん、そうだね。何かちょっと気持ちが楽になった感じ。ありがとう。

Ａ：えっほんと。よかったあ。じゃ、またあしたね。

Ｂ：うん、またあした。

会話の流れ

1. 話しかける
2. 慰める・励ます

相手の気持ちを受け止める

↓

慰めたり励ましたりする

↓

3. 会話を終える

表現・語彙　状況に応じた話し方や関連語彙を学ぶ

1. 友達を慰めたり励ましたりする表現は、いろいろあります。次の□の中の表現例を参考にして話しましょう。

```
相手の気持ちを受け止める
  ・そうなんだ。　・大変だったね。　・わかるよ、〜（さん）の気持ち。
  ・ほんと。

慰める・励ます
  ・気にすることないよ。              ・〜ば分かってくれるよ。
  ・だれ（に）だってあるよ。          ・大したことないよ。
  ・わざと〜たんじゃないんだから。    ・元気出して。
  ・わたし（僕）なんて、何回〜か分からないよ。
```

例）A：あーあ、今日のスピーチ大会の練習で失敗しちゃったんだ。
　　B：そうなんだ。でも一生懸命やったんだし、<u>いつまでもくよくよしてたってしょうがないよ。元気出して。</u>

① A：今日の試験で、すごく悪い点数取っちゃった。どうしよう。
　　B：そうなんだ。でもさあ、試験なんて_____。今度、頑張ればいいよ。

② A：はあ…。昨日、彼女に「わたしたち、いいお友達でいましょう。」と言われたんだ。
　　B：_____。でも、女は、彼女だけじゃないよ。_____。

③ A：あのさあ、友達に借りたＣＤにうっかり傷を付けちゃったんだ。
　　B：ほんと。でも大丈夫だよ。_____、ちゃんと謝れば分かってくれるよ。

④ A：この間の英語の検定試験、だめだったんだ。
　　B：_____。大丈夫。わたし（僕）なんて_____。今度、頑張ればいいよ。気晴らしに飲みに行かない？

みんなと親しくなろう

もう一度、発表しよう　コミュニケーション力の向上　　＊「気づきシート」使用

テーマを選んでロールプレイをしましょう。

友達を慰める・励ます

1. 友達が、試験で悪い点数を取って、がっかりしている。

2. 友達が、彼（彼女）に振られてしまって、落ち込んでいる。

3. 友達が、どろぼうに入られた。現金5万円とPCを盗まれて、元気がない。

4. 友達が、ほかの人から借りたCDにうっかり傷を付けてしまって、落ち込んでいる。

5. 友達が、ルームメートとけんかしてしまって、元気がない。

6. 自由に考えよう！
　状況：＿＿＿＿＿＿＿＿

みんなと親しくなろう

6. パーティーで初対面の人と話す

目的　目的の確認

1. 初対面の人に好印象を与え、相手に失礼にならないように話せる。
2. 会話を楽しく続けられる。
3. 初対面のとき話さないほうがいい話題について、前もって知る。

ウォームアップ　ロールプレイへの準備

1. 交流パーティーや交流会などに参加したことがありますか。
   そこでどんな話をしましたか。
2. 初対面の人と話すとき、どんなことに気をつけますか。
3. どんな話題だったら会話が楽しくなると思いますか。

ロールプレイ　今持っている力で課題達成　　　＊Aさんから話しましょう

ロールカード A

役　割：留学生（中国出身）
状　況：大学の国際交流パーティーに参加しています。テーブルには、すしをはじめいろいろな料理が並んでいます。いつもは、「回転ずし」「牛丼屋」「ファーストフード店」などを利用することが多いです。隣に初対面の日本人の学生が来ました。
すること：日本人の学生に話しかけて、相手の出身地や食べ物の話をしながら、楽しく会話をしてください。

ロールカード B

役　割：日本人学生（京都出身）

状　況：初めて、国際交流パーティーに参加しています。出身地の京都料理はきれいだが、値段が高くて量が少ないと思っています。「回転ずし」「牛丼屋」「ファーストフード店」などを利用することが多いです。隣の留学生が話しかけてきました。

すること：留学生と楽しく話をしましょう。

発表して、気づいたことを話そう　　　　＊「気づきシート」使用

Q：自分の言いたいことが話せましたか。
　　友達の会話は、どんなところがよかったですか。
　　自分と違うところは、どんなところでしたか。

会話を考えよう　会話の予測

＊ＣＤ使用

①会話の流れを確認しながら次の＿＿＿＿にどんなことばが入るのか、考えてみましょう。

②ＣＤを聞いて、便利だと思ったことばや気がついたことについて話しましょう。

（Ａ：留学生（中国出身）　リン　　Ｂ：日本人学生（京都出身）　鈴木）

Ａ：あのう、はじめまして。①＿＿＿＿＿＿＿＿＿＿＿＿＿＿＿＿＿＿＿。

Ｂ：リンさんですか。はじめまして。鈴木と申します。

Ａ：鈴木さんは東京の方ですか。

Ｂ：いいえ。京都です。

Ａ：京都ですか。京都っていうと、②＿＿＿＿＿＿＿＿＿＿＿＿＿＿＿＿＿＿＿＿＿＿＿＿＿＿＿＿＿＿＿＿＿＿＿＿。

Ｂ：ええ。歴史が古いですから、東京にないものがありますね。

Ａ：京都は、前からぜひ行ってみたいと思っていたところです。京都料理って③＿＿＿＿＿＿＿＿＿＿＿＿＿＿＿＿＿。鈴木さんもよく食べるんですか。

Ｂ：いいえ。高くて量が少ないですから、ふだんはカップラーメン。

Ａ：なあんだ。わたし④＿＿＿＿＿＿＿＿＿＿＿＿＿＿＿＿＿。

Ｂ：そうですか。ところで、このおすしおいしいですね。

Ａ：そうですね。おいしいですね。でも、回転ずしも安くておいしいからよく行きますよ。

Ｂ：あっ、そうなんだ。同じですね。あと、牛丼屋なんかにもよく食べに行きますよ。

Ａ：あっ、わたしもです。ところで、牛丼って⑤＿＿＿＿＿＿＿＿＿＿＿＿＿＿＿＿＿＿＿＿＿＿＿。

Ｂ：そんなに難しくないですよ。わたしでも作れるから。今度、作り方教えてあげましょうか。

Ａ：ありがとうございます。⑥＿＿＿＿＿＿＿＿＿＿＿＿＿＿＿＿＿。

会話の流れ

1. 話しかける
2. 話を続ける

　関心を示す

　話題展開

　話題共有

　話題展開

3. 会話を終える

6　パーティーで初対面の人と話す

表現・語彙　状況に応じた話し方や関連語彙を学ぶ

次の□の中の表現例を使って、相手のことばから話題を見付けて話しましょう。

「よ」…相手の知らない情報を伝える。
「ね」「よね」…相手と情報を共有する。
「～って聞いたんですけど、～（だ）そうですね」…伝聞情報を共有する。
「～って（よく分からないんですけど）、～んですか」…質問して話を続ける。

例) A：あのう、Bさんの出身地はどちらですか。
　　B：沖縄です。
　　A：沖縄ですか。**いいところですね。海がきれいだって聞いたんですけど。**

①A：学校はどちらにあるんですか。
　　B：新宿です。
　　A：新宿なんですか。新宿は_____。

②A：日本料理の中で何がいちばんお好きですか。
　　B：おすしです。
　　A：おすしっていえば、_____。

③A：Bさんは、スポーツは何が好きですか。
　　B：スポーツはサッカーが好きですね。
　　A：サッカーっていったら、_____。

④A：旅行はお好きですか。
　　B：ええ、大好きです。温泉旅行が好きですね。
　　A：温泉といったら、_____。

⑤A：Bさんは、今何を勉強なさっているんですか。
　　B：環境技術です。
　　A：環境技術ってよく分からないんですけど、_____。

もう一度、発表しよう　　コミュニケーション力の向上　　＊「気づきシート」使用

テーマを選んでロールプレイをしましょう。

「交流パーティー」で初対面の人と話す

1. 相手の今住んでいるところを話題にする。

2. 相手の国や出身地の観光地を話題にする。

3. 最近のドラマ、映画を話題にする。

4. 相手の好きな歌手や歌を話題にする。

5. 相手の好きな料理を話題にする。

コラム　留学生活に役立てよう

初対面の人と話すときには

　初めての交流パーティーで日本人に話しかけるのは勇気が要りますが、思い切って話しかけてみましょう。待っているばかりでは、なかなか日本人の友達はできません。このようなパーティーは、日本人の友達を作るチャンスです。初対面のとき、日本の若者の話題としてよくでてくるのが、「ゲーム、アニメ、旅行、車、テレビのドラマ番組、タレントの話題、スポーツ、映画、おいしいレストラン」などです。話し相手と共通の話題を見付け、楽しく会話を弾ませましょう。その際、次のような軽い話題から話し始めると失敗が少ないでしょう。

- 簡単な自己紹介（いつ、日本に来て、今何をしているか）
- 学校、専攻、職業について質問する
- 食べ物で何が好きか話題にする
- 自分の国のおいしい食べ物、観光地などを紹介する
- ドラマ、歌、スポーツなどを話題にする

快適に暮らそう

7. 電話をかけて伝言を頼む

目的　目的の確認

1. 電話で適切に対応することができる。
2. 電話で伝言を正確に分かりやすく頼むことができる。

ウォームアップ　ロールプレイへの準備

1. 日本語で電話をかけて、何か失敗したことがありますか。
   それは、どんなことですか。
2. 電話で伝言を頼んだことがありますか。どんなことに注意するといいですか。

ロールプレイ　今持っている力で課題達成　　　＊Aさんから話しましょう

ロールカード A

役　　割：日本語学校の学生
状　　況：昨日の夜、熱が出て、薬を飲みましたが、朝になっても熱が下がりません。病院に寄るので、場合によっては学校を休むかもしれません。
すること：学校に電話をして、担任の先生に状況を話してください。

ロールカード B

役割：日本語学校の事務員
状況：事務の仕事をしています。今、授業中で、ここに先生はだれもいません。
すること：学生から電話があったら、親切に話を聞いてください。

発表して、気づいたことを話そう　　　＊「気づきシート」使用

Q：自分の言いたいことが言えましたか。
　　友達の会話は、どんなところがよかったですか。
　　自分と違うところは、どんなところでしたか。

快適に暮らそう ⑥

会話を考えよう　会話の予測　　　＊ＣＤ使用

①会話の流れを確認しながら次の＿＿＿＿にどんなことばが入るのか、考えてみましょう。

②ＣＤを聞いて、便利だと思ったことばや気がついたことについて話しましょう。

（Ａ：山川日本語学校の学生　Ａクラスのリー　Ｂ：山川日本語学校の事務員）

Ａ：もしもし、①＿＿＿＿＿＿＿＿＿＿＿＿＿＿＿＿＿＿。

Ｂ：はい。山川日本語学校です。

Ａ：わたし、②＿＿＿＿＿＿＿＿＿＿＿＿＿＿＿＿、佐藤先生は、③＿＿＿＿＿＿＿＿＿＿＿＿＿＿。

Ｂ：佐藤先生は、今、授業中で電話に出られませんが…。

Ａ：じゃあ、④＿＿＿＿＿＿＿＿＿＿＿＿＿＿＿＿＿＿＿＿＿＿＿＿＿。

Ｂ：はい、どうぞ。

Ａ：あのう、昨日の夜、熱が出て薬を飲んだんですが、まだ、熱が下がらないんです。先生に「⑤＿＿＿＿＿＿＿＿＿＿＿＿＿＿＿＿＿＿＿＿、場合によっては欠席するかもしれない」と伝えていただけませんか。

Ｂ：はい、分かりました。「リーさんは病院に行くので遅刻、場合によっては欠席する」と、佐藤先生にお伝えしますね。

Ａ：はい、ありがとうございます。⑥＿＿＿＿＿＿＿＿＿＿＿＿＿＿。

Ｂ：はい、リーさん、お大事にね。さようなら。

会話の流れ

1. 伝言を頼む

   電話をかける

   名前を言う

   ↓

   伝言を頼む

   ↓

   伝言の内容

   ↓

   頼む

2. 会話を終える

表現・語彙　状況に応じた話し方や関連語彙を学ぶ

電話で伝言するときのポイントを次の「伝言モデル」の会話の流れで確認しましょう。

伝言モデル　A：電話をかける　B：電話を受ける　**会話の流れ**

A：もしもし、①＿＿＿＿＿＿＿＿＿＿＿。
（わたしは）～と申しますが、
～さん、いらっしゃいますか。

1. 相手を確認する
2. 名前を言う
3. 相手がいるか聞く

B：～は、まだ、帰っておりませんが…。

A：そうですか。
②＿＿＿＿＿＿＿＿＿＿＿＿＿＿＿＿＿＿＿。

4. いつ帰るか聞く

B：～時ごろには、帰ると思いますが…。／さあ、ちょっと分かりませんが…。

5.「伝言」（三つのパターン）

パターン①
A：そうですか。では、すみませんが（申し訳ありませんが）、Aから電話があったと③＿＿＿＿＿＿＿＿＿＿＿＿＿＿＿＿。

←名前の伝言を頼む

パターン②
A：そうですか。では、すみませんが、伝言をお願いできますか。「～」と伝えていただけませんか。

←用件の伝言を頼む

パターン③
A：そうですか。では、後ほど（～時ごろ）④＿＿＿＿＿＿＿＿＿＿＿＿＿＿＿＿。

←「かけ直す」と伝える

B：分かりました。～と伝えておきます。

A：はい、よろしくお願いします。失礼します。

6. あいさつ

快適に暮らそう ⑥

もう一度、発表しよう　コミュニケーション力の向上　＊「気づきシート」使用

1．テーマを選んでロールプレイをしましょう。

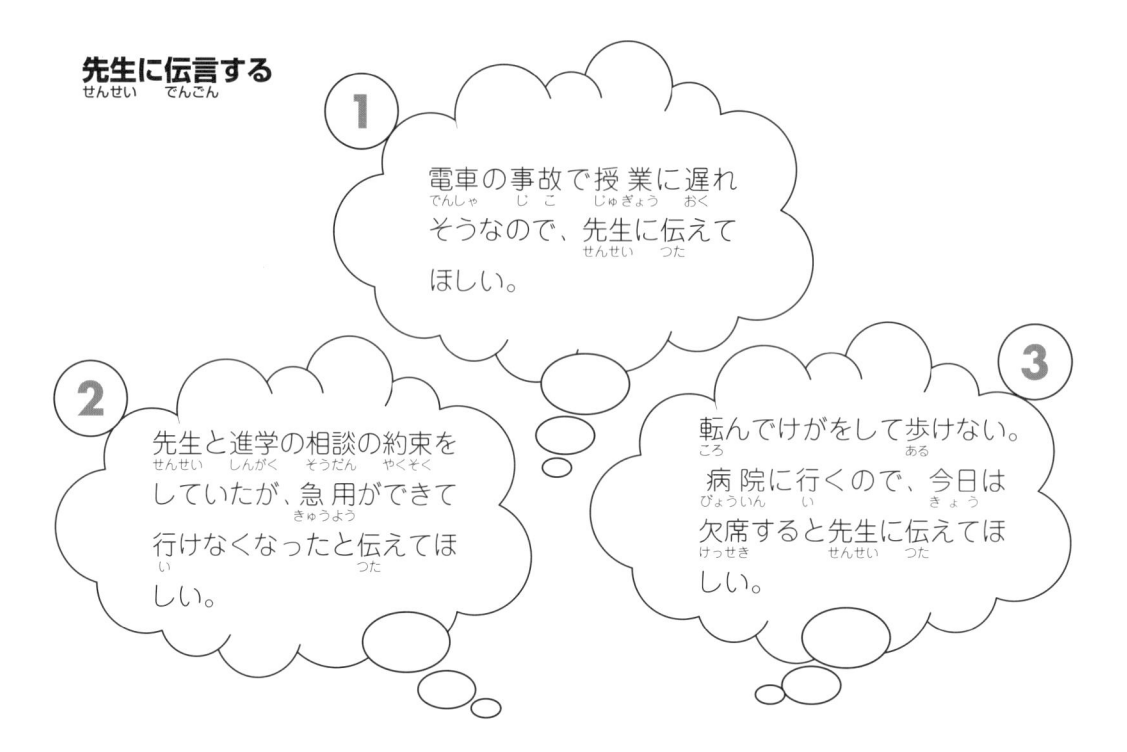

先生に伝言する

1. 電車の事故で授業に遅れそうなので、先生に伝えてほしい。

2. 先生と進学の相談の約束をしていたが、急用ができて行けなくなったと伝えてほしい。

3. 転んでけがをして歩けない。病院に行くので、今日は欠席すると先生に伝えてほしい。

2．友達の留守番電話に上手に伝言を残しましょう。

例）A：はい。ただいま留守にしております。ご用のあるかたは、ピーという音のあとに、お名前とご用件をお入れください。（ピー）
　　B：あ、もしもし、（名前）ですけれど、実は〜。

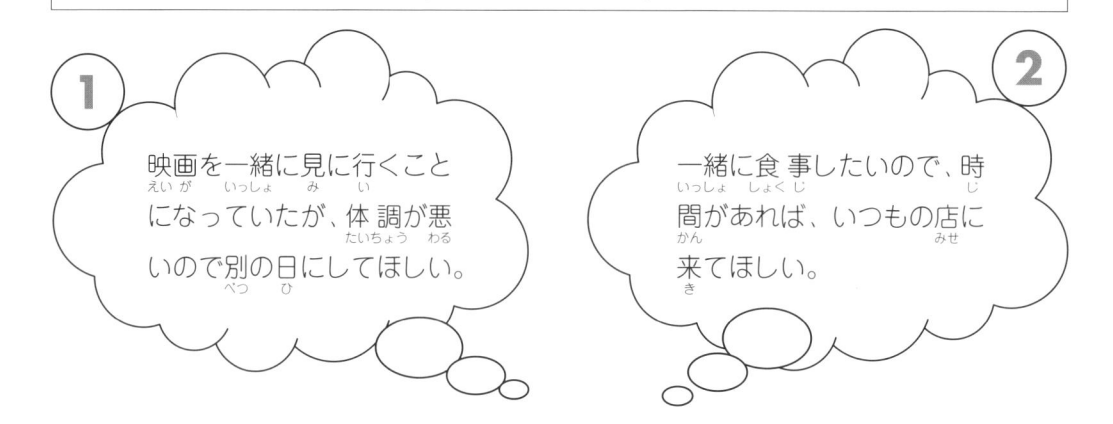

1. 映画を一緒に見に行くことになっていたが、体調が悪いので別の日にしてほしい。

2. 一緒に食事したいので、時間があれば、いつもの店に来てほしい。

コラム 留学生活に役立てよう

電話で伝言

　電話は、相手の表情が見えず、その場で対応しなければいけないので難しいものです。時には留守番電話に伝言を残したり、家族の人に伝言を頼むこともあります。

　電話を上手にかけるためには、話す内容のメモを作っておきましょう。特に外国語の場合は、前もって文章にしておいたほうがいいでしょう。そうすれば、言いたいことが伝えられるでしょう。

快適に暮らそう

8. 医者に症状を説明する
   いしゃ　しょうじょう　せつめい

目的　目的の確認

1. 自分の症状を伝えることができる。
2. 医者の指示や説明を理解することができる。
3. 説明を聞いて納得したうえで治療を受けることができる。

ウォームアップ　ロールプレイへの準備

1. 日本で病気やけがをしたことがありますか。そのとき病院へ行きましたか。
2. 医者や看護師の説明がよく分からなかったらどうしますか。
3. 症状の説明がうまくできなくて、困ったことはありますか。
4. 次の症状に合うことばを□の中から選んで（　）に書きましょう。

①せきが出る　②頭が痛い　③寒気がする　④胃の調子が悪い　⑤微熱が出る　⑥やけどをする
（　）　　　（　）　　　（　）　　　　（　）　　　　　（　）　　　（　）

A．ゾクゾクする	B．フラフラする／ボーッとする
C．ガンガンする	D．ヒリヒリする／ズキズキする
E．コンコン／ゴホン	F．ムカムカする（吐き気がする）／キリキリ痛む

— 56 —

ロールプレイ　今持っている力で課題達成　　＊Aさんから話しましょう

ロールカード A

役　割：内科の医者
状　況：患者の診察をしています。今、吐き気がして微熱が続く風邪がはやっています。
すること：患者の症状を聞いて適切な診断をしてください。

ロールカード B

役　割：患者
状　況：1週間ぐらい前から胃の調子が悪くムカムカします。ちょっと食べても吐いてしまうので食欲もありません。昨日から少し熱が出て、今日は37度2分あります。心配になって近所にある内科の医院に来ました。
すること：医者に自分の症状を説明し、診察してもらってください。

発表して、気づいたことを話そう　　＊「気づきシート」使用

Q：自分の言いたいことが話せましたか。
　　友達の会話は、どんなところがよかったですか。
　　自分と違うところは、どんなところでしたか。

快適に暮らそう ⑥

会話を考えよう　会話の予測　　　　　　　　　＊ＣＤ使用

①会話の流れを確認しながら次の_____にどんなことばが入るのか、考えてみましょう。

②ＣＤを聞いて、便利だと思ったことばや気がついたことについて話しましょう。

（Ａ：内科の医者　Ｂ：患者）

Ａ：どうぞ。どうしましたか。

Ｂ：あのう、1週間ぐらい前から、吐き気がして胃①_____。

Ａ：食欲はありますか。

Ｂ：ちょっと食べても②_____。

Ａ：熱はありますか。

Ｂ：はい、昨日から少し③_____。

Ａ：何度ぐらいありますか。

Ｂ：今日は37度2分なんですけど…。

Ａ：のどを見せてください。…ああ、すこし腫れていますね。今、はやりの風邪でしょう。

Ｂ：胃の調子が悪いのと風邪は④_____。

Ａ：ええ、関係あります。吐き気がして微熱が出る風邪がはやっていますから。胃の調子が悪くなる人が多いですね。

Ｂ：へえ、⑤_____。

Ａ：一応、おなかの状態もみてみましょう。はい、そこに横になって。下痢はしていませんか。

Ｂ：いいえ、⑥_____。

Ａ：うん、心配ありません。風邪の引き始めですね。すぐ治りますよ。薬を飲んでようすをみてください。

Ｂ：はい、どうもありがとうございました。

Ａ：お大事に。

会話の流れ

1. 症状を説明する

　症状1

　症状2

　不安を話す

　質問する

　納得する

2. 会話を終える

表現・語彙　状況に応じた話し方や関連語彙を学ぶ

1．病院を□の中から選んで（　）に書き、例のような会話をしましょう。

例）下痢になったり便秘になったりでおなかがおかしい。（ F ）

会話例）　A：下痢になったり便秘になったりで最近おなかがおかしいんだ。
　　　　　B：早く内科に行ったほうがいいよ。

①転んでねんざをして足首が痛い。（　　）
②コンタクトレンズを入れると目が痛い。（　　）
③背中に湿しんができてかゆい。（　　）
④歯がズキズキ痛い。（　　）
⑤包丁で手を切って血が止まらない。（　　）
⑥せきとくしゃみと鼻水が止まらない。（　　）
⑦耳がよく聞こえなくなった。（　　）

　　A．歯医者
　　B．皮膚科
　　C．耳鼻科
　　D．眼科（目医者）
　　E．外科
　　F．内科
　　G．整形外科

2．次のA～Eの医者の指示に従っている絵を①～⑤から選んで話しましょう。

A：（　　）上だけ脱いでください。
B：（　　）息を吸ったり吐いたりしてください。
C：（　　）うつぶせに寝てください。
D：（　　）目薬を1日に3回差してください。
E：（　　）かゆみ止めの薬を付けてください。

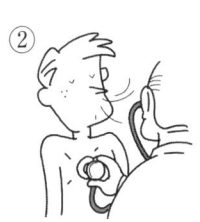

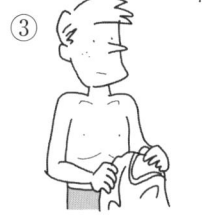

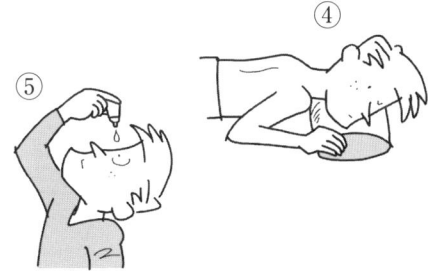

8　医者に症状を説明する

快適に暮らそう

もう一度、発表しよう
コミュニケーション力の向上　　　＊「気づきシート」使用

テーマを選んでロールプレイをしましょう。

病気の症状を説明する

1
風邪を引いたので薬を買って飲んだ。風邪は治ったが、体中、湿しんができてかゆい。

2
ゆうべ夜遅くまで勉強して寝た。朝起きたら目が真っ赤で痛い。

3
2、3日前から歯がズキズキ痛くて、夜眠れない。

4
日本に来てからずっとおなかの調子が悪い。下痢ぎみで困っている。

5
駅の階段で転んで手や足が痛い。右手の薬指が痛くて曲げられない。

コラム 留学生活に役立てよう

インフォームド・コンセント（診療内容の十分な説明）

　患者は診療内容について医者から十分説明を受ける権利があります。自分の国の治療方法と違うことや、検査や手術の方法、新薬の使用などで不安に思ったら、納得するまで説明をしてもらうことができます。

　歯医者で、「歯を抜きたくないのに抜かれてしまった」とか、「注射を何本も打たれて高額な費用がかかった」など、あとになってから不満を持つ留学生もいます。説明を嫌がる医者はよい医者とは言えません。病気や治療に関する疑問や心配は、遠慮しないで医者に話すようにしましょう。

9. 財布をなくして説明する

目的　目的の確認

1. 財布を落としたり定期券をなくしたりしたときに、物の形や状況が説明できる。

ウォームアップ　ロールプレイへの準備

1. 財布や定期券を落としたり、なくしたりしたことがありますか。
2. 次のような物をなくしたとき、何と言って説明しますか。考えてみましょう。

ロールプレイ　今持っている力で課題達成　　　　　　　　＊Aさんから話しましょう

ロールカード A

役　割：学生
状　況：財布をなくしてしまいました。どこでなくしたのか、はっきり分かりません。でも、学校を出てすぐ自動販売機でジュースを買ったときには、ありました。銀行のキャッシュカードも入っているので、カードが使われないようにすぐに銀行に連絡をしました。

> 財布（黒・二つに折りたためる）の中に入っていた物
> 現金（15,000円ぐらい）、学生証、定期券
> ハナマル銀行のキャッシュカード

すること：交番に届けて、なくした物の形や状況を説明してください。

ロールカード B

役　　割：警察官
状　　況：財布を落とした人が慌てて交番に来ました。
すること：どんな財布か、中に何が入っていたのか確認してください。また、落としたときの状況もよく聞いてください。

発表して、気づいたことを話そう　　　＊「気づきシート」使用

　Q：自分の言いたいことが話せましたか。
　　　友達の会話は、どんなところがよかったですか。
　　　自分と違うところは、どんなところでしたか。

快適に暮らそう ⑨

会話を考えよう　会話の予測
＊ＣＤ使用

①会話の流れを確認しながら次の＿＿＿にどんなことばが入るのか、考えてみましょう。

②ＣＤを聞いて、便利だと思ったことばや気がついたことについて話しましょう。

（Ａ：学生　Ｂ：警察官）

Ａ：あのう、すみません。財布を落としてしまったんですけど。
Ｂ：どんな財布ですか。
Ａ：①＿＿＿＿＿＿＿＿＿＿＿＿＿＿＿＿＿＿＿＿＿＿＿。
Ｂ：お金はいくらぐらい入っていましたか。
Ａ：②＿＿＿＿＿＿＿＿と、あと③＿＿＿＿＿＿＿＿＿＿＿＿＿＿＿＿＿＿＿＿＿＿。困ったな…。
Ｂ：銀行のキャッシュカードも？
Ａ：ええ。
Ｂ：銀行には連絡しましたか。
Ａ：はい、もう電話してカードが使われないようにしてもらいました。
Ｂ：そう、じゃよかったね。どの辺で落としたか分かりませんか。
Ａ：えーと…。学校出てすぐ自動販売機でジュース買ったから④＿＿＿＿＿＿＿＿＿＿＿＿＿＿＿＿＿＿＿。
Ｂ：じゃ、なくしたのは学校を出てからですね。
Ａ：はい。
Ｂ：分かりました。それじゃ、見付かったら連絡しますから、この紛失届に住所と名前と電話番号を書いてください。
Ａ：はい、分かりました。⑤＿＿＿＿＿＿＿＿＿＿＿＿＿＿＿＿＿。

会話の流れ

1. 話しかける
2. 物の形と状況を説明する
   - 物の形
   - 中身
   - 状況
3. 会話を終える

快適に暮らそう

表現・語彙 状況に応じた話し方や関連語彙を学ぶ

9 財布をなくして説明する

1. 次の絵の物をなくしました。警察や駅でどんな物か説明してみましょう。

例)　黒で二つに折りたためるタイプの財布なんです。

① _____。
② _____。
③ _____。

2. 次のことばを知っていますか。正しい意味を選んで（　）に書きましょう。
　①防犯登録（　）　　②身分証明書（　）
　③紛失届（　）　　　④放置自転車保管所（　）

ア．自分がなくした物を書類にして届けること
イ．止めてはいけない所に止められていた自転車を集めて、一時的に保管しておく所
ウ．自転車の番号や名前、住所などを買った所で届けておくこと
エ．自分の名前や住所などが証明できるもの

快適に暮らそう

もう一度、発表しよう　コミュニケーション力の向上　＊「気づきシート」使用

テーマを選んでロールプレイをしましょう。

なくした物や状況について警察や駅で説明する

1　駅で
電車の中で寝ていたら、財布（青い色・1万円入り）を取られてしまった。取られたことに全然気がつかなかった。

2　警察で
夏休みに1か月国へ帰っていた。アパートへ帰ったら、ソニーのCDラジカセや東芝のパソコンがなくなっていた。

3　駅や警察で
携帯電話をなくしてしまった。いつ、どこでなくしたのか、全然分からない。
（機種やメーカー、色や形は自由に考えよう。）

なくした物について友達に説明する

4
学校へ行く途中、電車の網棚に、かばん（茶色・中に日本語と数学の本）を忘れてしまった。何両目かは分からないが、真ん中ぐらいだと思う。

5
駅前に置いておいた自転車（色：シルバー・26インチ）がなくなっていた。そこは駐輪禁止の所だ。でも、ほかの人の自転車はまだ置いてある。盗まれたのかもしれない。

快適に暮らそう

10. 希望の部屋を探す
きぼう　へや　さが

―目的― 目的の確認

1. 部屋を探すとき、不動産屋で自分の希望が言え、できるだけ条件に合うアパートが見付けられる。

―ウォームアップ― ロールプレイへの準備

1. あなたの国で、アパートの家賃はいくらぐらいですか。
2. 日本の古いアパートでは、台所やトイレが共同の場合がありますが、あなたの国ではどうですか。
3. 次のようなことばを知っていますか。図を見て話しましょう。

   間取り　　1K　　1DK　　1LDK
   　　　　　ワンケー　ワンディーケー　ワンエルディーケー
   6畳　　築5年　　ユニットバス（UB）
   敷金　　礼金　　手数料

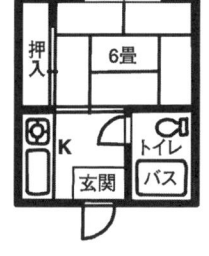

―ロールプレイ― 今持っている力で課題達成　　＊Aさんから話しましょう

ロールカード A

役　　割：学生
状　　況：今、寮に住んでいますが、一人で住みたいのでアパートへ引っ越しを考えています。1か月3万円以下のアパートで、できたらトイレ付きがいいと思っています。シャワーも欲しいですが、高いときはあきらめるつもりです。
すること：不動産屋へ行って、希望のアパートがあったら見せてもらってください。

快適に暮らそう

ロールカード B

役　割：不動産屋
状　況：学生がアパートを探しにやってきます。
すること：希望を聞いて、共通資料を見せながら条件に合う部屋を紹介してください。

<共通資料>

2万8千円（築25年）
1K／4.5畳
2階建て1階　東向き
駅徒歩15分
トイレ共同／バスなし
敷金1か月／礼金なし

3万8千円（築12年）
1DK／6畳
2階建て2階
南向き　日当たり良好
駅バス10分
シャワー、トイレつき
敷金2か月／礼金1か月

7万円（築15年）
2K／6畳・4畳半
2階建て2階　西向き
駅徒歩10分
バス、トイレ付き
敷金2か月／礼金2か月

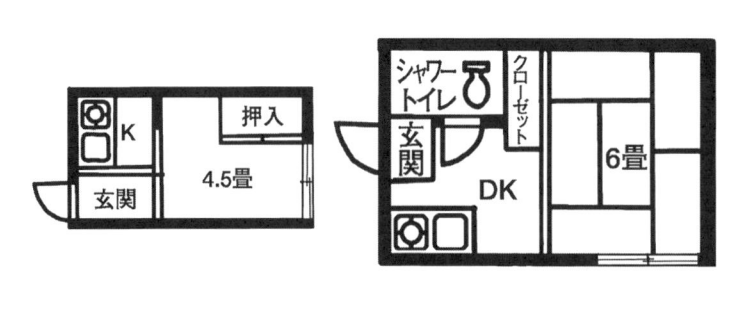

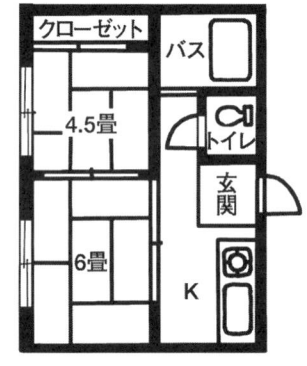

発表して、気づいたことを話そう

Q：自分の言いたいことが話せましたか。
　　友達の会話は、どんなところがよかったですか。
　　自分と違うところは、どんなところでしたか。

＊「気づきシート」使用

会話を考えよう　会話の予測　　＊ＣＤ使用

①会話の流れを確認しながら次の＿＿＿にどんなことばが入るのか、考えてみましょう。

②ＣＤを聞いて、便利だと思ったことばや気がついたことについて話しましょう。

（Ａ：学生　Ｂ：不動産屋）

Ａ：あのう、すみません。

Ｂ：はい、いらっしゃいませ。

Ａ：①＿＿＿＿＿＿＿＿＿＿＿＿＿＿＿＿＿＿＿＿＿＿＿＿＿。

Ｂ：そうですか。3万円以下のアパートですね…。この2万8千円のはどうですか。

Ａ：あっ、安いですね。でも、トイレは共同ですか。

Ｂ：ええ、そうなりますね。

Ａ：あのう、②＿＿＿＿＿＿＿＿＿＿＿＿＿＿＿＿＿＿＿＿＿＿＿＿＿＿＿＿＿＿＿＿＿。

Ｂ：でも、家賃が3万以下でトイレ付きはちょっと…。この3万8千円のはトイレもシャワーもありますよ。

Ａ：うーん。でも、ちょっと高いですね。③＿＿＿＿＿＿＿＿＿＿＿＿＿＿＿＿＿＿＿＿＿＿＿＿＿＿＿。

Ｂ：そうですか。すみませんが、その条件ですと、ちょっと難しいですね。

Ａ：分かりました。じゃ、この2万8千円の④＿＿＿＿＿＿＿＿＿＿＿＿＿＿＿＿＿＿＿＿。

Ｂ：いいですよ。じゃ、今からご案内しましょうか。

Ａ：ええ、お願いします。

会話の流れ

1. 話しかける
2. 希望を言う
   - 希望1
   - 希望2
   - 希望3
3. 会話を終える

10　希望の部屋を探す

快適に暮らそう ⑥

表現・語彙　状況に応じた話し方や関連語彙を学ぶ

1. アパートの希望を言うときの表現はいろいろあります。次の□の中の表現例を使って話しましょう。

> - できたら／できれば〜がいいんですけど
> - 〜だともっといいんですけど
> - 最低でも〜は欲しいんですが
> - 〜円ぐらいまでに抑えたいんですが
> - できるだけ〜ほうがいいんですけど

例）希望：3万以下、バス・トイレ付き
　　<u>できたら3万以下でバス・トイレ付きの部屋がいいんですけど。</u>

①希望：家賃3万5千円以下、敷金や礼金が安い所
　　_____。

②希望：狭くてもいい、南向き、家賃4万円以下
　　_____。

③希望：家賃5万円ぐらい、1DK、6畳、ふろ付き
　　_____。

④希望：友達と住む、2部屋、家賃8万円以下、駅から遠くてもいい
　　_____。

もう一度、発表しよう　コミュニケーション力の向上　＊「気づきシート」使用

テーマを選んでロールプレイをしましょう。

不動産屋で自分の希望を言う

1
希望
① 3万5千円以下
② 敷金や礼金が安い所

2
希望
① 狭くてもいい
② 南向き
③ 家賃：_____

3
希望
① 5万円ぐらい
② 1DK　③ 6畳
④ ふろ付き

4
希望
① 友達と住む
② 2DKか2LDK
③ 8万円ぐらいまで
④ 駅から遠くてもいい

5
自由に考えよう
希望の部屋の間取り：
_____
家賃：_____
その他の希望：_____
_____

10　希望の部屋を探す

コラム 留学生活に役立てよう

部屋を借りる

　部屋を借りるためには、まずお金を準備しなければなりません。地域によって違いはありますが、不動産屋で部屋を借りる場合、東京近辺では敷金2か月、礼金2か月、手数料1か月、家賃1か月と合計6か月分が必要です。さらに、連帯保証人が必要です。

　日本語学校や大学の学生課で紹介してくれるアパートは、安くて、敷金や礼金がない場合もあります。友達何人かで少し広いアパートやマンションを借りて、一緒に住む「ルームシェア」という方法もあります。一人でアパートを借りるよりは、安くて設備もいい所が借りられます。

　留学生の相談を行っている団体にもいろいろな情報が寄せられていますから、相談してみましょう。

快適に暮らそう

11. 電話でアルバイトに応募する

目的 　目的の確認

1. いろいろな情報を電話で問い合わせることができる。
2. アルバイトの条件を交渉し、応募することができる。

ウォームアップ 　ロールプレイへの準備

1. 日本でアルバイトをしたことがありますか。どんなアルバイトですか。
2. アルバイトを探すときはどうやって探しますか。
3. 電話で、アルバイトについて問い合わせたことがありますか。
   そのとき、何か困ったことがありましたか。
4. アルバイトを選ぶとき、仕事内容・時間・時給・場所の中で、まず、どれが大切だと思いますか。下のアルバイトA、Bのどちらがしたいですか。どうしてそれを選びましたか。

アルバイト情報A

職種：ホール
勤務地：浅草
資格：日本語できる方
時間：17:00～21:30 土、日
時給：1200円
休日：応相談
交通費：全額

アルバイト情報B

職種：電話対応
勤務地：池袋
資格：日本語発音よい方
時間：土日10:00～17:00
時給：1300円
　　　＊研修期間1200円
休日：面接時
交通費：500円／1日

快適に暮らそう ⑥

ロールプレイ　今持っている力で課題達成　　　＊Aさんから話しましょう

ロールカード A

役　　割：留学生
状　　況：日本語教育担当の先生が留学生のアルバイトを募集しています。日本語教育の模擬授業で学生役になるアルバイトです。詳しい話を聞きたいと思っています。募集している先生には会ったことがありません。毎週火曜日は、午後から別のアルバイトをしています。
すること：電話をかけてアルバイトについて詳しく聞いて応募してください。

ロールカード B

役　　割：日本語教育を担当している先生
状　　況：日本語教育の実習で、学生役になる留学生のアルバイトを探しています。再来週の月曜日、火曜日、木曜日の3回、午後1時から3時までです。アルバイト料は時給1,000円です。
すること：留学生からアルバイトの応募の電話があったら応対してください。

発表して、気づいたことを話そう　　　＊「気づきシート」使用

Q：自分の言いたいことが話せましたか。
　　友達の会話は、どんなところがよかったですか。
　　自分と違うところは、どんなところでしたか。

会話を考えよう　会話の予測　　　　　　　　　　　　　　　　＊ＣＤ使用

①会話の流れを確認しながら次の_____にどんなことばが入るのか、考えてみましょう。

②ＣＤを聞いて、便利だと思ったことばや気がついたことについて話しましょう。

（Ａ：留学生　Ｂ：日本語教育を担当している先生）

Ａ：もしもし、あのう、模擬授業の①_____
　　_____。ご担当のかたいらっしゃるでしょうか。

Ｂ：担当の者ですが、模擬授業のバイトやってくれるんですか。

Ａ：はい、それで、②_____
　　_____。

Ｂ：再来週の月曜日、火曜日、木曜日の午後1時から3時までです。

Ａ：火曜日は別のアルバイトが入っているので、月曜と木曜の
　　③_____。

Ｂ：できれば、3回来てくれる人を探しているんですが…。

Ａ：そうですか。でも日本語教育に関心があるので、
　　④_____。

Ｂ：ああ、それなら、2回でも、けっこうですよ。

Ａ：あのう、⑤_____。

Ｂ：時給は1,000円です。

Ａ：そうですか。じゃあ、ぜひ、お願いします。それから、学生の役って⑥_____
　　_____。

Ｂ：日本語の授業を自然に受けてくれればいいんですよ。

Ａ：分かりました。それでは、よろしくお願いします。

会話の流れ

1. 問い合わせる
　　前置き
　　情報求め1
　　条件提示
　　応募する
　　情報求め2
　　情報求め3
2. 会話を終える

11　電話でアルバイトに応募する

表現・語彙　状況に応じた話し方や関連語彙を学ぶ

1. いろいろな問い合わせの電話をするとき、まず、電話でどうやって話し始めますか。次の□の中の表現例を使って話しましょう。

> 電話で用件を切り出す表現
> ・〜のことでお電話したんですが…。
> ・〜を見てお電話したんですが…。
> ・〜の件でお聞きしたいんですが…。
> ・そちらの〜について詳しく知りたいんですが…。
> ・あのう、〜たいと思っているのですが…。
> ・（〜の）ご担当のかたいらっしゃるでしょうか。

例）日本語の模擬授業のアルバイトに応募の電話をかけて、週何回するのか聞きたい。

　　アルバイトのご担当のかたいらっしゃるでしょうか。日本語の模擬授業のアルバイトのことでお電話したんですが、週何回すればいいんでしょうか。

①アルバイトのちらしに、「歯科の受付」のアルバイトがあった。資格が必要かどうか聞きたい。

　　_____。

②健康診断書を保健所で作りたい。いつ健康診断をやっているのか聞きたい。

　　_____。

③A大学のオープンキャンパスがいつ行われるか知りたい。

　　_____。

④B大学に、学費免除、住宅補助など留学生のための制度があるかどうか聞きたい。

　　_____。

2. アルバイトの条件（曜日、勤務時間など）を交渉したいときどう言いますか。

①週4日となっているが、週3日にしたい。

　　_____。

②新聞配達のアルバイトで「朝刊と夕刊の配達」と書かれていた。「夕刊の配達」だけでいいかどうか聞きたい。

　　_____。

もう一度、発表しよう　コミュニケーション力の向上　＊「気づきシート」使用

テーマを選んでロールプレイをしましょう。

いろいろな情報を電話で問い合わせる

1　アルバイト募集の会社に
アルバイトのちらしに、「歯科の受付」のアルバイトがあった。資格が必要かどうか聞きたい。

2　進学したい学校に
電話をかけて次のことを知りたい。
入試科目：＿＿＿＿＿＿＿
入試日程：＿＿＿＿＿＿＿
初年度の学費：＿＿＿＿＿＿
留学生に対する特典（学費の免除など）：＿＿＿＿＿＿
＿＿＿＿＿＿＿＿＿＿＿

3　アルバイト募集の店に
アルバイト情報誌に「深夜は特別手当が加算される」と書いてあった。特別手当はいくら出るのか聞きたい。

4　オープンキャンパス開催の学校に
次のことを聞きたい。
日程：＿＿＿＿＿＿＿
内容：＿＿＿＿＿＿＿
学校の場所：＿＿＿＿＿＿

5　保健所に
「健康診断書」について聞きたい。
健康診断実施日：＿＿＿＿＿＿
費用：＿＿＿＿＿＿＿＿
作成日数：＿＿＿＿＿＿

11　電話でアルバイトに応募する

コラム　留学生活に役立てよう

アルバイト

　アルバイト情報は大学の学生課や、情報誌、インターネットのサイトから得ることができます。アルバイトについて問い合わせるときは、時給や労働時間だけでなく、具体的な内容、休みの取り方などについても聞きましょう。「詳しいことは面接で」と言われる場合が多いですが、電話で確認できる情報は面接の前に調べておきましょう。問い合わせる時間帯も要注意です。というのは、アルバイト先が忙しいときは、なかなか電話に出られない場合があるからです。

　アルバイトには、日本人と話すチャンスが増えたり、日本の社会についても知ることができたりするなどよい点があります。しかし、アルバイトをしすぎて、勉強する元気も時間もなくなってしまうのは問題です。日本に来たときの目標を忘れないようにしましょう。

快適に暮らそう

12. 日にち変更の許可を求める

目 的　目的の確認

1. アルバイト先の上司に休みや日時の変更などの許可を求めることができる。
2. 日本人の知り合いや友達に自分の行動の許可を求めることができる。

ウォームアップ　ロールプレイへの準備

1. 今アルバイトをしていますか。アルバイト先で曜日の変更や休みを頼んだことがありますか。上手に頼めましたか。
2. アルバイト先の上司は、すぐ許可してくれましたか。なかなか許可してもらえなかったときどうしましたか。

ロールプレイ　今持っている力で課題達成　　　＊Aさんから話しましょう

ロールカード A

役　割：アルバイトの留学生

状　況：月曜から金曜日までコンビニでアルバイトをしています。でも、学校で毎週金曜日に試験があります。いつも勉強の時間が足りないと思っています。できれば、木曜日はアルバイトをしたくないと思っています。

すること：店長に木曜日のアルバイトを辞める許可をもらってください。

快適に暮らそう ⑥

ロールカード B

役　割：コンビニの店長
状　況：仕事は忙しく、店員が足りない状況です。アルバイトの人には毎日来てもらいたいと思っています。すぐ辞めてしまうアルバイトの人が多くて困っています。
すること：アルバイトの人からの相談、依頼に応じてください。

発表して、気づいたことを話そう　　＊「気づきシート」使用

Q：自分の言いたいことが話せましたか。
　　友達の会話は、どんなところがよかったですか。
　　自分と違うところは、どんなところでしたか。

会話を考えよう　会話の予測　　　＊ＣＤ使用

①会話の流れを確認しながら次の____にどんなことばが入るのか、考えてみましょう。

②ＣＤを聞いて、便利だと思ったことばや気がついたことについて話しましょう。

（Ａ：アルバイトの留学生　Ｂ：コンビニの店長）

Ａ：店長、すみません。①_____。
Ｂ：うん、いいよ。
Ａ：ちょっとお願いがあるんですが…。
Ｂ：何？
Ａ：実は、アルバイトの②_____。
Ｂ：うん。
Ａ：今まで月曜日から金曜日までアルバイトに入っていましたが、来月から③_____。
Ｂ：えっ、木曜日！　何で？
Ａ：ええ、あの…、④_____、_____。
Ｂ：でも、月曜日から金曜日までしてくれるって言うから、採用したんだよ。本当に困るなあ！
Ａ：⑤_____。
Ｂ：しょうがないなあ。勉強が大事だからね。でも、これ以上バイトの日を減らさないでね。
Ａ：はい。木曜日だけでいいんです。⑥_____。
Ｂ：…分かったよ。じゃあ、来月からね。
Ａ：はい。ありがとうございます。

会話の流れ

1. 話しかける
2. 許可を求める
   - 前置き
   - 許可を求める
   - 事情説明
   - 許可へのお礼
3. 会話を終える

12　日にち変更の許可を求める

表現・語彙　状況に応じた話し方や関連語彙を学ぶ

1. 許可を求める表現は、いろいろあります。次の□の中の表現例を使って話しましょう。

```
許可求めの表現

[理由]ので＋ ・お～してもよろしいでしょうか。・～てもいいでしょうか。
              ・～てもいいですか。
              ・～(さ)せていただけませんか。・(さ)せていただきたいんですが。
              ・～(さ)せてもらえませんか。・(さ)せてもらいたいんですが。

[理由]から＋ ・～てもいい？・～てもいいかなあ。
              ・～(さ)せてもらえない？・(さ)せてもらいたいんだけど。
```

例) 授業中気分が悪くなった。先生に外で少し休む許可を求める。
　　　気分が悪いので、外で少し休んでもいいでしょうか。

① 最近知り合った日本人の家に招待された。クラスの友達も一緒に連れて行きたいと、日本人に許可を求める。
　　_____。

② 来月大学の試験を受けるので、今月の末でバイトを辞める許可を店長に求める。
　　_____。

③ たばこを吸う許可をたばこの嫌いな友達に求める。
　　_____。

④ 駅のトイレは「掃除中」だった。我慢できないので掃除をしている人に許可を求める。
　　_____。

⑤ 友達の家に遊びに行ったら、自分の好きなＣＤがあった。ちょっと聴きたいと許可を求める。
　　_____。

もう一度、発表しよう　コミュニケーション力の向上　＊「気づきシート」使用

テーマを選んでロールプレイをしましょう。

いろいろな場面で許可を求める

1　駅の掃除のおばさんに
掃除中だが、我慢できないので、駅のトイレをすぐ使いたい。

2　アルバイト先の店長に
大学の試験が再来週あるので、来週1週間休みたい。

3　友達に
友達はたばこが大嫌いだ。とても疲れたので1本だけ吸いたい。

4　知り合いの日本人に
知り合いの日本人の家に招待された。自分の国の友達も連れて行きたい。

5　先生に
スピーチの原稿をクラスの人数分、至急、コピーしなければならないので、職員室のコピー機を使いたい。

12　日にち変更の許可を求める

コラム　留学生活に役立てよう

アルバイト先で許可を求める

　アルバイトでは、遅刻したり、突然休んだりしないようにしましょう。
　日時の変更などを、やむをえずしなければならない場合も、事前にアルバイト先の責任者に連絡しましょう。また、辞める場合も少なくとも1か月前には「どんな理由でいつ辞めるのか」知らせておきましょう。突然「あしたで辞めます」と言ったら、相手が困るのは当たり前です。何事も早めに余裕を持って依頼したり、許可をもらったりしましょう。

快適に暮らそう

13. 日常生活でいろいろなことを頼む

目的　　目的の確認

1. 先生や友達など身近な人に、必要なことが適切に頼める。

ウォームアップ　　ロールプレイへの準備

1. 日本に来たばかりのとき、どんなことで困りましたか。
2. そのとき、先生や周りの日本人に何か頼んだことがありますか。

ロールプレイ　　今持っている力で課題達成　　＊Aさんから話しましょう

ロールカードA

役　　割：留学生

状　　況：最近、日本語の勉強のために、日本の歌をよく聴いています。特にポップスが好きになり、歌詞で分からないことばがあるときは辞書で調べています。辞書で調べても意味が分からないことばがときどきあります。

すること：先生に、都合をききながらわからないことばの意味を教えてもらってください。

— 85 —

快適に暮らそう

ロールカード B

役　割：先生
状　況：毎日、授業の準備などでとても忙しいですが、今日はちょっと時間があります。
すること：学生の希望や頼みをよく聞いてください。

発表して、気づいたことを話そう　　　＊「気づきシート」使用

Q：自分の言いたいことが話せましたか。
　　友達の会話は、どんなところがよかったですか。
　　自分と違うところは、どんなところでしたか。

会話を考えよう　会話の予測　　　　　　　　　　　　　　＊ＣＤ使用

① 会話の流れを確認しながら次の＿＿＿＿にどんなことばが入るのか、考えてみましょう。
② ＣＤを聞いて、便利だと思ったことばや気がついたことについて話しましょう。

（Ａ：留学生　Ｂ：先生）

A：先生、今①＿＿＿＿＿＿＿＿＿＿＿＿＿＿＿＿＿＿。
B：いいですよ。何ですか。
A：実は、日本語の勉強のために最近②＿＿＿＿＿＿＿＿＿＿＿＿＿＿＿＿＿＿＿＿＿＿＿。
B：「日本の歌」ですか。それはいいですね。どんな歌ですか。
A：ポップスなんですが…。これなんです。
B：ああ、これ、今すごくはやっている歌ですよね。
A：ええ。それで、③＿＿＿＿＿＿＿＿＿＿＿＿＿＿＿＿＿＿＿＿。
B：何でしょうか。
A：歌詞の中で辞書を引いても④＿＿＿＿＿＿＿＿＿＿＿＿＿＿＿＿＿＿＿＿＿＿＿。それで、先生のお時間があるときでけっこうですので、⑤＿＿＿＿＿＿＿＿＿＿＿＿＿＿＿＿＿＿＿。
B：今日は時間があるから、今見てみましょう。どのくらいあるんですか。
A：分からないところが、かなりあるんですけど…。
B：大丈夫ですよ。
A：⑥＿＿＿＿＿＿＿＿＿＿＿＿＿＿＿＿＿。

会話の流れ

1. 話しかける
2. 依頼する
   事情説明１

   前置き

   事情説明２

   依頼する

3. 会話を終える

快適に暮らそう ⑥

表現・語彙　状況に応じた話し方や関連語彙を学ぶ

1. 頼むときの表現は、いろいろあります。次の□の中の表現例を使って話しましょう。

> 依頼の表現
>
> 理由 ので ＋
> ・〜てもらえませんか。　・〜てもらいたいんですが。
> ・〜ていただけませんか。　・〜ていただきたいんですが。
> ・〜ていただけないでしょうか。
>
> 理由 から ＋
> ・〜てもらえる？　・〜てもらえない？

例）辞書で調べても分からないことばがある。だれかに教えてもらう。

　　<u>分からないことばがある</u>**ので、**<u>教えてもらえませんか。</u>

　　<u>分からないことばがある</u>**から、**<u>教えてもらえる？</u>

①もっと日本語を上手に話したい。間違いを直してもらう。
　　_____。
　　_____。

②大学に進学するときの保証人が必要だ。知り合いの日本人に保証人を頼む。
　　_____。

2. 次の_____に入る前置き表現をいくつか考えてみましょう。

例）先生に志望理由書の書き方を教えてもらう。

　　お忙しいところすみませんが、志望理由書の書き方を教えていただきたいんですが。

①大学の入試課に電話をかけ、大学のパンフレットと入試要項を送ってもらう。
　　_____、今年度のパンフレットと留学生用の入試要項を送っていただけませんか。

②友達に、アニメのビデオを貸してもらう。
　　_____、アニメのビデオ貸してもらえる？

もう一度、発表しよう　コミュニケーション力の向上　＊「気づきシート」使用

13

日常生活でいろいろなことを頼む

テーマを選んでロールプレイをしましょう。

友達に依頼する

1. アルバイトがなかなか見つからないので、紹介してもらいたい。

2. アパートを一緒に探してもらいたい。

いろいろな人に依頼する

3. **先生に**
風邪を引いてのどが痛いので、面接の練習の日にちを今日からあしたに変更してもらいたい。

4. **大家さんに**
今月はアルバイト代の振り込みが遅れているので、家賃の支払いを待ってもらいたい。

5. **大学・専門学校の入試担当者に**
願書・入試要項・学校案内のパンフレットを送ってもらいたい。
（電話で頼む）

6. だれに：＿＿＿＿＿＿＿＿
何を頼む：＿＿＿＿＿＿＿＿
＿＿＿＿＿＿＿＿＿＿＿＿＿
＿＿＿＿＿＿＿＿＿＿＿＿＿

快適に暮らそう

快適に暮らそう

コラム　留学生活に役立てよう

依頼のしかた

　留学生活は、学校の事務の人たちに書類の書き方を教えてもらったり、学生課の人にアパートを紹介してもらうなど、「依頼する」ことが多いものです。「駅へ行く道を教えてもらう」という簡単な依頼と「アパートの連帯保証人になってもらう」という頼みにくいものとでは、会話の流れが違ってきます。
　依頼の内容が頼みにくいものほど、「頼みにくいことなんですが」「こんなこと頼んでもよろしいでしょうか」などの前置き表現をまず言って、頼む内容がちょっと簡単ではないということを、相手に知らせたほうがいいでしょう。
周りの日本人がどんな話し方や順番で依頼しているか、まずは、注意深く観察してみましょう。

快適に暮らそう

14. 先生に訂正を求める

目的　目的の確認

1. 相手の気分を害さずに、訂正を求めることができる。

ウォームアップ　ロールプレイへの準備

1. 先生からテストを返してもらったときに、減点された理由が分からなかったり、点数が間違っていたら、どうしますか。
2. 先生に訂正を求めるときには、どんな言い方がいいでしょうか。どのように言えば、先生に失礼にならないのでしょうか。考えてみましょう。

ロールプレイ　今持っている力で課題達成　　＊Aさんから話しましょう

ロールカード A

役　割：学生
状　況：テストを返してもらいましたが、テストの採点が間違っています。

　　　　1. 問Ⅱの1番は、正解（○）なのに、不正解（✓）になっている
　　　　2. 問Ⅷは、－6となっているが、－4

すること：先生に資料（答案用紙）を見せながら、間違っていることを丁寧に説明して、直してもらってください。

<Aの資料>

```
第4課テスト    名前 キム スジン   得点 80点／100
```

問Ⅰ．①「それ」とは、何のことですか。（8点）
　　それとは、時間のことです。　　　　　　　　　（-8）

問Ⅱ．下から選んで記号を書きなさい。（4点×5＝20点）
　　1．(a)　2．(d)　3．(b)　4．(c)　5．(e)

問Ⅲ．②～⑤に適当な接続詞を書きなさい。（5点×4＝20点）
　　②そして　③それで　④つまり　⑤だから

問Ⅳ．③「そこ」とは、どこのことですか。（8点）（-8）
　　旅行先のパリのことです。

問Ⅴ．友人はどうして反対なのですか。（10点）
　　周りの人が助けてあげれば、問題はないからです。

問Ⅵ．筆者の言いたいことは何ですか。（10点）
　　それぞれの立場によって、考え方が違うということです。

問Ⅶ．考え方が同じ人は、だれとだれですか。（6点×2＝12点）
　　（ア）と（ウ）、（イ）と（エ）

問Ⅷ．次の漢字をひらがなに、ひらがなを漢字にしなさい。（-6）
　　　　　　　　　　　　　　　　　　　　（2点×6＝12点）
　①てんがって　②例える　③いる　④助けて　⑤騒音　⑥きょうつう

ロールカード B

役　割：先生
状　況：先週行ったテストを学生に返却しました。
すること：質問してきた学生に対して、親切に答えてください。

発表して、気づいたことを話そう　　＊「気づきシート」使用

Q：自分の言いたいことが話せましたか。
　　友達の会話は、どんなところがよかったですか。
　　自分と違うところは、どんなところでしたか。

会話を考えよう　会話の予測　　　　　　　　　　＊ＣＤ使用

①会話の流れを確認しながら次の_____にどんなことばが入るのか、考えてみましょう。

②ＣＤを聞いて、便利だと思ったことばや気がついたことについて話しましょう。

（Ａ：学生　Ｂ：先生）

Ａ：あのう、①_____。

Ｂ：はい、何ですか。

Ａ：あのう、問Ⅱ②_____。

Ｂ：はい。

Ａ：この１番、③_____

_____。

Ｂ：ああ、そうですね。

Ａ：あのう、それから、問Ⅷなんですが…。

Ｂ：えっ、問Ⅷ？

Ａ：はい、あのう、－６④_____

_____。

Ｂ：えーと、①と⑥が間違っているから－４。ああ、本当ですね。そうすると、点数は問Ⅱで－４、問Ⅳで－８、問Ⅷで－４だから、84点になるのかな。

Ａ：ええ、すみませんが、⑤_____。

Ｂ：はい、じゃ、直しておきますね。

Ａ：では、⑥_____。

会話の流れ

1. 話しかける
2. 訂正を求める

　前置き

　説明１

　説明２

　訂正を求める

3. 会話を終える

14　先生に訂正を求める

快適に暮らそう

表現・語彙　状況に応じた話し方や関連語彙を学ぶ

1. 先生に訂正を求めるときに、まずどのように説明しますか。□の中の表現例を使って、話しましょう。

> ・あのう、～んですが、～じゃないでしょうか。
> ・～じゃないかと思うんですが…。　・～のに…。

例) 合計点数79点だが、計算すると83点だった。
　　あのう、合計点数が79点となっているんですが、83点じゃないかと思うんですが…。

①漢字のテストで×になっているが、字が汚いだけで正しい。
　　_____。

②宿題を提出していないと言われたが、提出してある。
　　_____。

③学校の始業時間前に教室に来ていたが、先生が出席を取っている間、トイレに行っていて遅刻にされた。
　　_____。

2. 先生に訂正を求めるときは、何と言いますか。□の中の表現例を使って、話しましょう。

> あのう、すみませんが、
> ・～ていただけないでしょうか。　・～てもらえないでしょうか。　・～てほしいんですが…。

例) 点数が間違っていた。
　　あのう、すみませんが、点数を直していただけないでしょうか。

①テストが返却された。正解だと思うのに×になっている。
　　_____。

②数分遅刻しただけなのに欠席にされた。
　　_____。

③名簿の名前が間違っている。
　　_____。

もう一度、発表しよう　コミュニケーション力の向上　＊「気づきシート」使用

テーマを選んでロールプレイをしましょう。

先生に訂正を求める

1. 漢字のテストで字が汚いだけで×にされた。

2. 宿題を提出したのに提出していないと言われた。

3. テストで名前を書かなかっただけで減点された。厳しすぎる。

4. 授業中、トイレに行ったら先生に欠席にされた。

自由に考えよう

5. 状況：＿＿＿＿＿＿＿＿＿＿
　　＿＿＿＿＿＿＿＿＿＿＿＿
　　＿＿＿＿＿＿＿＿＿＿＿＿

15. 手伝いを申し出る

目的　　目的の確認

1. 自分から話しかけ、手伝いなどを申し出ることができる。
2. 何かしてもらったことに対して、感謝することができる。

ウォームアップ　　ロールプレイへの準備

1. 学校や駅などでだれかが困っているとき、助けてあげたことがありますか。
   いつ、どこで、だれに、どんなことをしてあげましたか。
2. そのとき、あなたはどう言いましたか。
   相手は何か言いましたか。

ロールプレイ　　今持っている力で課題達成　　＊Aさんから話しましょう

ロールカード A

役　割：学生
状　況：授業が終わってから1階の自習室で勉強していました。
　　　　そろそろ帰ろうと思っていると、2階で何か大きい音がしました。
　　　　何をしているのか見に行ったら、先生たちが忙しそうにいすや机を運んでいます。
すること：先生たちが大変そうなので、手伝いを申し出てください。

ロールカード B

役割：先生
状況：あした、学校で進学説明会があるので、ほかの先生たちといすや机を移動して会場作りをしています。しかし、人数が足りなくて作業が遅れています。
すること：だれか作業を手伝ってくれる人がいたら、手伝いを頼んでください。

発表して、気づいたことを話そう

＊「気づきシート」使用

Q：自分の言いたいことが話せましたか。
　友達の会話は、どんなところがよかったですか。
　自分と違うところは、どんなところでしたか。

快適に暮らそう ⑥

会話を考えよう　会話の予測

＊CD使用

①会話の流れを確認しながら次の_____にどんなことばが入るのか、考えてみましょう。

②CDを聞いて、便利だと思ったことばや気がついたことについて話しましょう。

（A：学生　ジョン　　B：先生）

A：先生、①_____。

B：ああ、ジョンさん。どうしたんですか。何か用？

A：いえ、今まで１階の自習室で勉強していたんですが、何か大きい音がしたので…。②_____
_____。

B：あした、学校で進学説明会があるので、先生がたと会場作りをしているんです。

A：ああ、そうですか。会場作り大変そうですねえ。
③_____。

B：ええっ、本当？

A：はい。ちょうど勉強も終わって、帰ろうと思っていたところなんです。

B：助かるなあ。じゃ、この机、運んでくれる？

A：はい。

（会場作りが終わって）

B：今日は、本当にありがとう。④_____
_____。

A：いいえ。

B：じゃ、気をつけて帰ってね。

A：はい、⑤_____。さようなら。

B：はい、さよなら。またあした。

会話の流れ

1. 話しかける

2. 申し出る

　　事情を聞く

　　申し出る

3. 会話を終える

表現・語彙　状況に応じた話し方や関連語彙を学ぶ

1. 申し出るときの言い方はいろいろあります。次の□の中の表現例を使って話しましょう。

> ・お（ご）～ましょうか。　・お（ご）～します。
> ・（わたしに）～させてください。
> ・～てあげようか。　・～ようか。

例）先生の荷物が重そうです。→先生、荷物、お持ちしましょうか。

①地図を持って、うろうろしている人がいる。駅に行きたいようだ。
　＿＿＿＿＿＿＿＿＿＿＿＿＿＿＿＿＿＿＿＿＿＿＿＿＿＿＿＿＿＿。

②友達が風邪を引いて、何も食べずに寝ている。
　＿＿＿＿＿＿＿＿＿＿＿＿＿＿＿＿＿＿＿＿＿＿＿＿＿＿＿＿＿＿。

③先生が来週行われるスポーツ大会の係りを募集している。
　＿＿＿＿＿＿＿＿＿＿＿＿＿＿＿＿＿＿＿＿＿＿＿＿＿＿＿＿＿＿。

2. 感謝するときの言い方はいろいろあります。次の□の中の表現例を使って話しましょう。

> ・～のおかげで～ました。　・ありがとうございました。　・助かりました。
> ・～のおかげで～た。　・ありがとう。　・助かった。

例）先生に教えてもらったので日本語が上手になりました
　<u>先生のおかげで、日本語が上手になりました。</u>**ありがとうございました。**

①先生に指導をしてもらったので、面接がうまくいった。
　＿＿＿＿＿＿＿＿＿＿＿＿＿＿＿＿＿＿＿＿＿＿＿＿＿＿＿＿＿＿。

②友達が手伝ってくれたので、引っ越しの片付けが早く終わった。
　＿＿＿＿＿＿＿＿＿＿＿＿＿＿＿＿＿＿＿＿＿＿＿＿＿＿＿＿＿＿。

③友達に勉強を教えてもらって、落としそうだった科目の単位が取れた。
　＿＿＿＿＿＿＿＿＿＿＿＿＿＿＿＿＿＿＿＿＿＿＿＿＿＿＿＿＿＿。

快適に暮らそう

もう一度、発表しよう　コミュニケーション力の向上　　＊「気づきシート」使用

テーマを選んでロールプレイをしましょう。

先生や初対面の人に申し出る

1. 先生が授業で使うビデオを運んでいるが、重くて大変そうだ。

2. おじいさんが駅までの行き方が分からなくて、困っているようだ。

3. パソコン入力のアルバイトをしてくれる人がいなくて先生が困っているようだ。

友達に申し出る

4. 友達が学校を休んだ。電話してみたら、風邪を引いて熱があるので、何もできずに寝ているそうだ。

5. 昼休みになったが、友達は先生と面接練習があって、昼ご飯を買いに行けないらしい。

コラム　留学生活に役立てよう

申し出る

　「だれか手伝ってくれる人はいませんか」などと大勢の前で聞かれると、「シーン」としてしまうことがよくあります。その理由はいろいろ考えられますが、「目立ちたくない」「恥ずかしい」「自分がやらなくてもだれかがやってくれる」「人と関わるのがめんどくさい」などという心理が働いているのでしょう。
　しかし、「自分がやらなくても…」「あなたやってよ」などと、お互いに押しつけ合っていても状況は変わりません。だれかが積極性や奉仕精神を発揮することも大切です。「わたしでよければ～ましょうか・～させてください」などと、申し出るとよいでしょう。

快適に暮らそう

16. 注文の間違いを言う
　　ちゅうもん　まちが

目的　目的の確認

1. 店で注文に間違いがあったとき、苦情を言うことができる。

ウォームアップ　ロールプレイへの準備

1. 日本で、レストランや居酒屋へ行ったことがありますか。どんな雰囲気でしたか。
2. 注文と違った料理が運ばれてきたことがありますか。そのとき、どうしましたか。

ロールプレイ　今持っている力で課題達成　　　＊Aさんから話しましょう

ロールカード A

役　割：親睦会の幹事の学生
状　況：クラスの友達と居酒屋で「親睦会」をしています。料理をいろいろ注文しましたが、運ばれてきた料理の数が違いました。また、そろそろ親睦会を終わらせたいのですが、まだ運ばれてきていない料理もあります。
すること：注文票控えを確認して、間違いがないようにしてください。

＜Aの注文票控え＞

~~生ビール　　5~~	~~焼鳥（5本）　3~~	~~お好み焼き　3~~
焼きうどん　4	鳥唐揚げ　3	~~おでん　　2~~
ポテトフライ　4	~~揚げ出し豆腐　2~~	和風サラダ　3

ロールカード B

役　割：居酒屋の店員
状　況：今日もお客様が大勢来ています。店はとても込んでいて忙しいです。
すること：お客様から注文のあった料理をテーブルに運んでください。もし、間違っていたら注文票で確認してください。

＜Bの注文票＞

★お客様にお出しした料理には、チェックすること

☑	生ビール	5	☑	焼鳥（5本）	3	☑	お好み焼き　3
☐	焼きうどん	3	☐	鳥唐揚げ	3	☑	おでん　2
☑	ポテトフライ	3	☑	揚げ出し豆腐	2	☑	和風サラダ　3

発表して、気づいたことを話そう

＊「気づきシート」使用

Q：自分の言いたいことが話せましたか。
　　友達の会話は、どんなところがよかったですか。
　　自分と違うところは、どんなところでしたか。

16 注文の間違いを言う

会話を考えよう　会話の予測　　　　　　　　　　　　　　　　　　＊ＣＤ使用

①会話の流れを確認しながら次の_____にどんなことばが入るのか、考えてみましょう。

②ＣＤを聞いて、便利だと思ったことばや気がついたことについて話しましょう。

（Ａ：親睦会の幹事の学生　Ｂ：居酒屋の店員）

Ａ：あのう…。あっ、来た来た。

Ｂ：お待たせしました。「鳥唐揚げ」三つと「焼きうどん」三つです。

Ａ：「焼きうどん」三つ？　あれっ、おかしいなあ。ちょっと待って。（注文票控えで確認する）あのう、「焼きうどん」は①_____です。

Ｂ：えっ？　そうですか。

Ａ：それにあのう、「ポテトフライ」が②_____。

Ｂ：あのう、こちらの注文票では「済み」になっているんですけど、まだ来ていませんか。

Ａ：ええ。そのほかにも③_____。

Ｂ：あっ、そうでしたか。えーと、それでは、もう一度、確認させていただきます。「鳥唐揚げ」三つ、「焼きうどん」が三つじゃなくて、四つですね。あと、まだお持ちしていないのは、「ポテトフライ」が三つ、「和風サラダ」が三つですね。

Ａ：えーと、「ポテトフライ」は、④_____、四つです。

Ｂ：はい、四つですね。

Ａ：あのう、そろそろ親睦会を⑤_____ので、早く_____。

Ｂ：はい、わかりました。本当にいろいろすみません。すぐ持ってまいりますので、もう少々お待ちください。本当に申し訳ありませんでした。

Ａ：じゃ、よろしくお願いします。

会話の流れ

1. 苦情を言う

　　苦情1

　　苦情2

　　苦情3

　　念を押す

2. 会話を終える

表現・語彙　状況に応じた話し方や関連語彙を学ぶ

1. 苦情を言うときの表現はいろいろあります。次の□の中の表現例を使って話しましょう。

> あのう、
> ・〜んですけど…。
> ・〜じゃなくて、〜んですけど…。
> ・（〜と困るので）何とかしてもらえませんか。
> ・〜んですが、どうなっているんでしょうか。
> ・どうしてなんでしょうか。

例）居酒屋の店員に：「焼きうどん」四つ頼んだのに、三つしか来ない。
　　あのう、すみません、焼きうどんは三つじゃなくて、四つなんですけど…。

①スーパーの店員に：買った野菜が少し傷んでいた。
＿＿＿＿＿＿＿＿＿＿＿＿＿＿＿＿＿＿＿＿＿＿＿＿＿＿＿＿＿＿＿＿＿＿＿。

②アパートの管理人に：ドアの前にいつも自転車が置いてあるので、じゃまになる。
＿＿＿＿＿＿＿＿＿＿＿＿＿＿＿＿＿＿＿＿＿＿＿＿＿＿＿＿＿＿＿＿＿＿＿。

③居酒屋の店員に：先日電話で予約したが、店に来たら予約ができていない。
＿＿＿＿＿＿＿＿＿＿＿＿＿＿＿＿＿＿＿＿＿＿＿＿＿＿＿＿＿＿＿＿＿＿＿。

④電話会社の人に：使用料金を振り込んだのに督促状が届いた。
＿＿＿＿＿＿＿＿＿＿＿＿＿＿＿＿＿＿＿＿＿＿＿＿＿＿＿＿＿＿＿＿＿＿＿。

快適に暮らそう

もう一度、発表しよう
コミュニケーション力の向上　　＊「気づきシート」使用

テーマを選んでロールプレイをしましょう。

いろいろな場所で苦情を言う

1 スーパーの店員に
昨日みかん（一袋10個入り）を買ったが3個も傷んでいた。

2 アパートの管理人さんに
ドアの前にいつも自転車が置いてあって、じゃまになる。

3 居酒屋の店員に
先週10人で予約したのに、店に来たら予約ができていなかった。

4 電話会社に
先月の使用料金をコンビニから振り込んだのに、督促状が届いた。

自由に考えよう

5
だれに：＿＿＿＿＿＿＿＿
状況：＿＿＿＿＿＿＿＿
＿＿＿＿＿＿＿＿＿＿＿

コラム 留学生活に役立てよう

居酒屋から世界が見える

　「居酒屋」では、お酒だけではなくいろいろな料理も楽しむことができます。ですから男性はもちろん、女性同士のグループなどでもよく利用されています。料金も手ごろで明るい雰囲気の店が多いので、世代を問わず、人気があります。チェーン店も増えて、街角やインターネットなどで割引券を手に入れることもできます。

　また最近では、メニューに日本料理だけでなく、ピザ、キムチなべ、タイ風いため物、ベトナム風春巻などの各国の料理がメニューに並んでいます。日本にいながらにして、世界中の料理を楽しむことができるのです。

快適に暮らそう

17. ごみの出し方を注意されて謝る

目的 —— 目的の確認

1. 注意されたとき上手に謝ることができる。
2. ごみの分別やごみの出し方などの日本の生活習慣を知り、地域でトラブルを起こさず、快適に暮らせる。

ウォームアップ —— ロールプレイへの準備

1. 自分の国と日本の国のごみの出し方で違う点がありますか。
2. ごみの分別を間違えたことがありますか。そのとき近所から、何か言われましたか。それに対し、どう答えましたか。
3. 次のごみをA）可燃ごみ、B）不燃ごみ、C）資源ごみ、D）粗大ごみに分けてみましょう。

A）＿＿＿＿＿＿＿＿＿＿
B）＿＿＿＿＿＿＿＿＿＿
C）＿＿＿＿＿＿＿＿＿＿
D）＿＿＿＿＿＿＿＿＿＿

ロールプレイ　今持っている力で課題達成　　＊Aさんから話しましょう

ロールカード A

役　割：Bさんの近所に住む人
状　況：今日は燃えるごみの回収日で、大量の段ボールがごみ置き場に置いてあります。しかし、この地域では、段ボールは資源ごみです。近所に引っ越ししてきたBさんが出したようです。環境を守るために日ごろから、ごみの分別の大切さをみんなに言っています。
すること：段ボールを出した人がBさんだったら、注意してください。また、ごみの種類や分別などについて、教えてあげてください。

ロールカード B

役　割：留学生
状　況：今日は燃えるごみの回収日です。引っ越しの段ボールがたくさんあるので出しに行きました。続いて生ごみも出しに行きました。2回目に行ったとき、近所の人が怒った顔でごみ置き場に立っていました。
すること：もし、近所の人に注意されたら、上手に対応してください。

発表して、気づいたことを話そう　　＊「気づきシート」使用

Q：自分の言いたいことが話せましたか。
　　友達の会話は、どんなところがよかったですか。
　　自分と違うところは、どんなところでしたか。

快適に暮らそう

17　ごみの出し方を注意されて謝る

快適に暮らそう

会話を考えよう　会話の予測

＊ＣＤ使用

①会話の流れを確認しながら次の＿＿＿にどんなことばが入るのか、考えてみましょう。

②ＣＤを聞いて、便利だと思ったことばや気がついたことについて話しましょう。

（Ａ：Ｂさんの近所に住む人　Ｂ：留学生）

Ａ：あのう、ちょっと。この段ボールの山、出したのあなたですか。

Ｂ：はい。①＿＿＿＿＿＿＿＿＿＿＿＿＿＿＿＿＿＿＿＿＿＿＿＿＿＿＿＿。

Ａ：今日は、何のごみを出す日か知っていますか。

Ｂ：はい、燃えるごみを出す日ですよね。

Ａ：そうですよ。だから、段ボールを出す日じゃないんですよ。

Ｂ：えっ！　そうですか。段ボールは燃えるごみじゃないんですか。どうもすみませんでした。段ボールは②＿＿＿＿＿＿＿＿＿＿＿＿＿＿＿＿＿＿＿＿＿＿＿＿＿＿。

Ａ：いいえ。段ボールは資源ごみですよ。だから、資源ごみの日に出してくださいね。ごみはちゃんと分別して出してくれないと困るんですよねえ。

Ｂ：どうもすみません。この地域のごみの分別について③＿＿＿＿＿＿＿＿＿＿＿＿＿＿＿＿＿＿＿＿＿＿＿＿＿。ご迷惑をおかけしました。あのう、ごみの分別について、ちょっと教えていただけませんか。

Ａ：資源ごみはリサイクルして再利用できるもので、段ボール、瓶、缶、などですよ。

Ｂ：ええっ！そんなに！いろいろなものが再利用できるんですねえ。

Ａ：再利用すれば環境にもいいでしょう。

Ｂ：そうですね。

Ａ：この地域のごみの分別のちらし、あとで持っていってあげますね。

Ｂ：すみません。④＿＿＿＿＿＿＿＿＿＿＿＿＿＿＿＿＿＿＿＿＿＿＿。

会話の流れ

1. 上手に謝る

　謝る1

　事情説明1

　謝る2

　事情説明2

　謝る3

2. 会話を終える

表現・語彙　状況に応じた話し方や関連語彙を学ぶ

1. Bさんがごみの出し方について注意されています。次の　　　の中の表現例を使って、上手に謝りましょう。

> **謝る表現**
> ・どうもすみません。・すみませんでした。・ご迷惑をおかけしました。
> ・これから気をつけます。・これから、必ず〜ようにします。
>
> **言い訳の表現**
> ・〜って知らなかったものですから。・よく分からなかったものですから。
> ・〜とばかり思っていたものですから。・〜ものですから。・〜ので。

例）近所の人：段ボールは資源ごみですから、今日出す日じゃないですよ。困りますね。
　　Bさん　：えっ、段ボールは燃えるごみ<u>だとばかり思っていたものですから。すみませんでした</u>。

① 近所の人：テレビは粗大ごみに出せませんよ！
　 Bさん　：_____。

② 近所の人：新聞紙はそのまま出さないで、ひもで縛って出してくださいね。
　 Bさん　：_____。

③ 大家さん：瓶と缶はそれぞれ別の箱に分けて入れてください。同じ箱に入れないでくださいね。
　 Bさん　：_____。

④ 近所の住人：夜、出さないでくれますか。猫がごみ袋を破って周りが汚くなるので。
　 Bさん　：_____。

2. ＿＿＿にことばを入れましょう。

① ごみを出す場所を_____と言います。
② _____というのはごみや要らなくなった物を再利用することです。
③ ごみの_____とはごみを「燃えるごみ」「燃えないごみ」などに分けるという意味です。
④ ウーロン茶などが入っているプラスチックの入れ物を_____と言います。

快適に暮らそう

もう一度、発表しよう　コミュニケーション力の向上　＊「気づきシート」使用

テーマを選んでロールプレイをしましょう。

上手に謝る

1 近所の人に
パソコンは粗大ごみに出せないと言われた。

2 近所の人に
燃えるごみと燃えないごみをきちんと分けて出してほしいと言われた。

3 隣の住人に
夜遅くまで大きな音楽が聞こえて、うるさいと言われた。

4 大家さんに
家賃は決められた日までにきちんと入金するようにと言われた。

5 隣の人に
深夜に洗濯しないでくれと言われた。

コラム 留学生活に役立てよう

ごみの出し方

　ごみの出し方は地域によって違います。どのように出すかを知らないと、近所の人たちとの関係が悪くなったりします。ごみを出すときは、曜日、時間、ごみの分別をしっかり守らなければなりません。ごみ置き場には、ごみを出す曜日が書いてあるので、チェックしておくとよいでしょう。また、ごみは指定された袋に入れて出すことを忘れないようにしましょう。
　住所変更の手続きなどで役所に行ったときに、ごみについてのパンフレットをもらってよく読んでおきましょう。また、自治体のホームページでも、「ごみの出し方」について調べることができます。

17　ごみの出し方を注意されて謝る

快適に暮らそう

18. 交通事故の状況を説明する
こうつうじこ　じょうきょう　せつめい

目的 — 目的の確認

1. 交通事故の状況を説明することができる。
2. 交通事故に遭ったとき、適切な行動がとれる。

ウォームアップ — ロールプレイへの準備

1. 日本で、交通事故に遭ったことがありますか。そのとき、どうしましたか。

ロールプレイ — 今持っている力で課題達成　　　　＊Aさんから話しましょう

ロールカード A

役　　割：留学生

状　　況：学校へ行く途中自転車に乗って道の左側を走っていました。右側に渡ろうとしたとき、後ろから来た車と軽くぶつかり自転車は倒れました。

①大きなけがはしなかったが、頭を打ったようで、ふらふらしている。
②自転車はハンドルが曲がり、車輪が外れた。
③車を運転していた人はけがをしなかった。警察にすぐ電話をかけてくれて、今警察が来るのを待っている。

すること：学校へ連絡して事故の状況を説明してください。

ロールカード B

役　　割：学校の職員

状　　況：最近学生の交通事故が多くなったので、事故の状況は詳しく聞くようにしています。そして、次の2点は必ず確認するようにしています。

①すぐ、警察に知らせること。
②けがをしたりさせたりした場合、病院へ行くこと。

すること：学生から電話がかかってきました。学生の電話に対応してください。

発表して、気づいたことを話そう

＊「気づきシート」使用

Q：自分の言いたいことが話せましたか。
　　友達の会話は、どんなところがよかったですか。
　　自分と違うところは、どんなところでしたか。

快適に暮らそう ⑥

会話を考えよう　会話の予測

＊ＣＤ使用

①会話の流れを確認しながら次の_____にどんなことばが入るのか、考えてみましょう。

②ＣＤを聞いて、便利だと思ったことばや気がついたことについて話しましょう。

（Ａ：留学生　チン　　Ｂ：学校の職員　田中先生）

Ａ：もしもし、田中先生ですか。
Ｂ：はい、田中ですが。
Ａ：先生、中級Ｃクラスのチンですが、自転車で学校へ行く途中、車とぶつかってしまって。
Ｂ：えっ、大変！　そ、それで、けがはありませんか。
Ａ：ええ、①_____
　　_____。
Ｂ：起きられないんですか。
Ａ：いや、大丈夫です。自転車が②_____
　　_____
　　_____。
Ｂ：え、それで相手の人は？
Ａ：大丈夫です。
Ｂ：警察には電話をしましたか。
Ａ：ええ、相手の人が電話してくれて…、今、警察が来るのを
　　③_____。
Ｂ：どうしてぶつかってしまったんですか。
Ａ：自転車で左側を走っていて、道の右側に④_____
　　_____。
Ｂ：危ないですね。じゃ、警察に事情を説明したら、病院に行ったほうがいいですね。
Ａ：分かりました。病院から⑤_____。

会話の流れ

1. 事故の状況を説明をする
   - 電話をかける
   - 事故を伝える

   - 現在の状況
     説明１

   - 現在の状況
     説明２

   - 事故の状況
     説明

2. 話を終える

表現・語彙　状況に応じた話し方や関連語彙を学ぶ

Aさんが交通事故の状況を説明しています。例のようにAさんになって、右の絵を見ながら状況を説明してみましょう。

例）自転車に乗って<u>角を曲がろうとしたら</u>、<u>子供が飛び出してきてぶつかって</u>しまったんです。自転車が倒れて、わたしは<u>落ちて腕を折って</u>しまったんです。幸いなことに、<u>子供はどこもけがしませんでした</u>。

1. 自転車に乗って道の左側を走ってました。
   ①＿＿＿＿＿＿＿＿＿としたとき、②＿＿＿＿＿＿＿＿＿＿＿＿＿＿＿しまったんです。
   わたしの自転車も③＿＿＿＿＿＿＿＿＿＿＿＿しまったんです。幸いなことに、2人とも④＿＿＿＿＿＿＿＿＿＿＿＿。

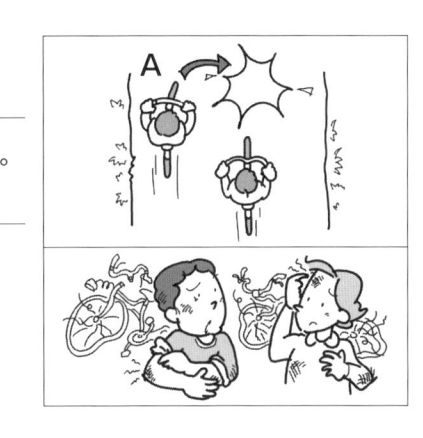

2. 夜自転車に乗っていて、前を歩いているおばあさんを①＿＿＿＿＿＿＿＿＿としたら、
   ②＿＿＿＿＿＿＿＿＿＿＿＿＿＿＿んです。
   おばあさんが③＿＿＿＿＿＿＿＿＿＿んで、今④＿＿＿＿＿＿＿＿ところです。

快適に暮らそう

もう一度、発表しよう
コミュニケーション力の向上　　　＊「気づきシート」使用

テーマを選んでロールプレイをしましょう。

交通事故の状況を説明する

1　自転車に乗って角を曲がるとき、スケートボードに乗って飛び出してきた子供とぶつかった。わたしは足を折ったが、子供は無事だった。

2　道の右を歩いているとき、後ろから来る自転車と接触しそうになった。自転車は急ブレーキをかけたので倒れた。自転車のライトは割れ、乗っている人は顔を打ったがわたしはけがをしなかった。

3　遅刻しそうだったので、細い道を走っていた。前を歩いているおばあさんが急に止まったので、ぶつかった。おばあさんは転び、立てないでいる。わたしも倒れて手を切った。

4　あなたが出会った交通事故の状況（架空の事故でもいい）：＿＿＿＿＿＿＿＿＿＿＿＿＿＿＿＿＿＿＿＿＿＿＿＿＿＿＿＿＿＿＿＿＿

コラム 留学生活に役立てよう

交通事故

　車の事故に遭ったとき、まずは相手の車の番号を確認しましょう。相手は、そのまま行ってしまうかもしれませんから、最後の数字だけでも覚えましょう。けが人がいたら、すぐ119番（消防署）に電話をかけ救急車を呼びましょう。そして、110番（警察）に連絡して、「事故届」を出さなければなりません。相手の名前と連絡先を「運転免許証」などで確認し、目撃者がいたら、その人の連絡先も聞き、警察に届けます。

　軽いけがで痛くなくても、病院に行くとよいでしょう。相手にも一緒に行ってもらって、あとで問題にならないように確認し合うことが必要です。

　また、相手にけがをさせてしまったときに、おわびの電話やお見舞い品を届けたりするのも、日本では誠意ある態度と考えられています。

18 交通事故の状況を説明する

大学生活に備えよう

大学生活に備えよう

19. 合宿場所の相談をする
がっしゅくばしょ　そうだん

目的 —— 目的の確認

1. 自分の意見が提案できる。
2. みんなで相談することができる。

ウォームアップ —— ロールプレイへの準備

1. あなたは高校や大学で合宿に参加したことがありますか。
   どんな所で合宿をしましたか。
2. 合宿をするとしたら、どんな条件の所を選びますか。次の共通資料を見ながら話し合いましょう。

<共通資料>

青山湖（あおやまこ） レイクサイドホテル	国立（こくりつ） 富士ヴィレッジ	野村山（のむらやま） ひまわり荘
1泊　8,000円 （朝食・夕食込み）	1泊　3,200円 （宿泊代のみ） 食事代（3食で1,300円）	1泊　5,500円 （3食込み）
テニスコートあり	テニスコートあり	テニスコートあり
体育館なし・プールあり	体育館・プールあり	体育館・プールなし
宴会場あり	宴会場なし	宴会場あり
＊温泉	＊消灯時間11時	東京からバスで2時間半
東京からバスで1時間半	東京から電車とバスで 3時間半	

ロールプレイ　今持っている力で課題達成　　＊Aさんから話しましょう

ロールカード A

役　割：テニスサークルに入っている学生
状　況：夏休みの合宿場所を決める係りです。Bさんも同じ係りです。経済的に大変な学生もいるので、できるだけ安い所に決めたいです。でも、あまり遠い所は行くのに不便だと思っています。
すること：共通資料を見ながら合宿場所の提案をし、場所を決めてください。

ロールカード B

役　割：テニスサークルに入っている学生
状　況：夏休みの合宿場所を決める係りです。Aさんも同じ係りです。みんな忙しいので、少し高くてもできるだけ近い所がいいと思っています。
すること：共通資料を見ながら合宿場所の提案をし、場所を決めてください。

発表して、気づいたことを話そう　　＊「気づきシート」使用

Q：自分の言いたいことが話せましたか。
　　友達の会話は、どんなところがよかったですか。
　　自分と違うところは、どんなところでしたか。

大学生活に備えよう ⑥

会話を考えよう　会話の予測　　　　　　　　　　　　　　＊ＣＤ使用

①会話の流れを確認しながら次の_____にどんなことばが入るのか、考えてみましょう。

②ＣＤを聞いて、便利だと思ったことばや気がついたことについて話しましょう。

（Ａ：学生　Ｂ：学生）

Ａ：ねえ、夏休みの合宿のことだけどさあ、このひまわり荘①_____？

Ｂ：へえ、３食付いて5,500円なんて安いね。

Ａ：うん、今どき珍しいよね。できるだけ②_____。それにバスで２時間半だし。

Ｂ：そうだね。でも、この青山湖はどう？　もっと近いよ。

Ａ：バスで１時間半か。それに温泉もあるんだ！　いいね。でも、③_____？

Ｂ：うん。それはそうなんだけど、④_____。みんなバイトなんかで忙しいから。

Ａ：確かにそうだけどね。

Ｂ：そうそう、それにここはプールもあるんだよ。テニスして汗かいたあとで泳ぐのもいいんじゃない？

Ａ：うん…暑いし、プールも魅力があるけどね…。でも、やっぱり⑤_____？みんながみんなお金に余裕があるわけじゃないし。

Ｂ：そうか。そうだね。富士ヴィレッジは安いけどちょっと遠すぎるし。何て言ってもこの5,500円は格安だしね。

Ａ：そう。経済的に大変な学生だって多いし。

Ｂ：うん、分かった。じゃ、ひまわり荘にしよう！

Ａ：うん、じゃあ、これで決まり！

会話の流れ

1. 話しかける
2. 提案する

　　理由を言う

　　意見を言う

3. 会話を終える

表現・語彙 状況に応じた話し方や関連語彙を学ぶ

1. 提案するときの表現はいろいろあります。次の□の中の表現例を使って話しましょう。

・〜てみない？ ・〜しようよ。 ・〜はどう？ ・〜なんかどうかな。 ・〜たらどう？ ・〜がいいんじゃない？ ・やっぱり〜が〜じゃない？	・〜てみませんか。 ・〜しましょうよ。 ・〜はどうでしょう。 ・〜などはいかがでしょうか。 ・〜たらどうでしょうか。 ・〜がいいのではないでしょうか。 ・やはり〜が〜ではないでしょうか。

例）キムさんのお別れパーティーのことなんだけど、日曜はどうかな。

① アンさんの誕生日プレゼントは、花＿＿＿＿＿＿＿＿＿＿？
② 今年の忘年会は、やっぱり食べ放題＿＿＿＿＿＿＿＿＿＿？
③ 日本語の辞書はどれがいいか、先生に＿＿＿＿＿＿＿＿＿＿？

④ 先生にも来ていただいて、クラスの交流会を＿＿＿＿＿＿＿＿＿＿＿＿＿＿＿＿＿＿＿。
⑤ グループ発表は、1人1章ずつ＿＿＿＿＿＿＿＿＿＿＿＿＿＿＿＿＿＿＿。
⑥ ゼミの課題の本のことなんですが、みんなで勉強会＿＿＿＿＿＿＿＿＿＿＿＿＿＿＿＿＿＿＿。
⑦ 卒業旅行は、やはり箱根＿＿＿＿＿＿＿＿＿＿＿＿＿＿＿＿＿＿＿。

大学生活に備えよう

もう一度、発表しよう　コミュニケーション力の向上　＊「気づきシート」使用

テーマを選んでロールプレイをしましょう。

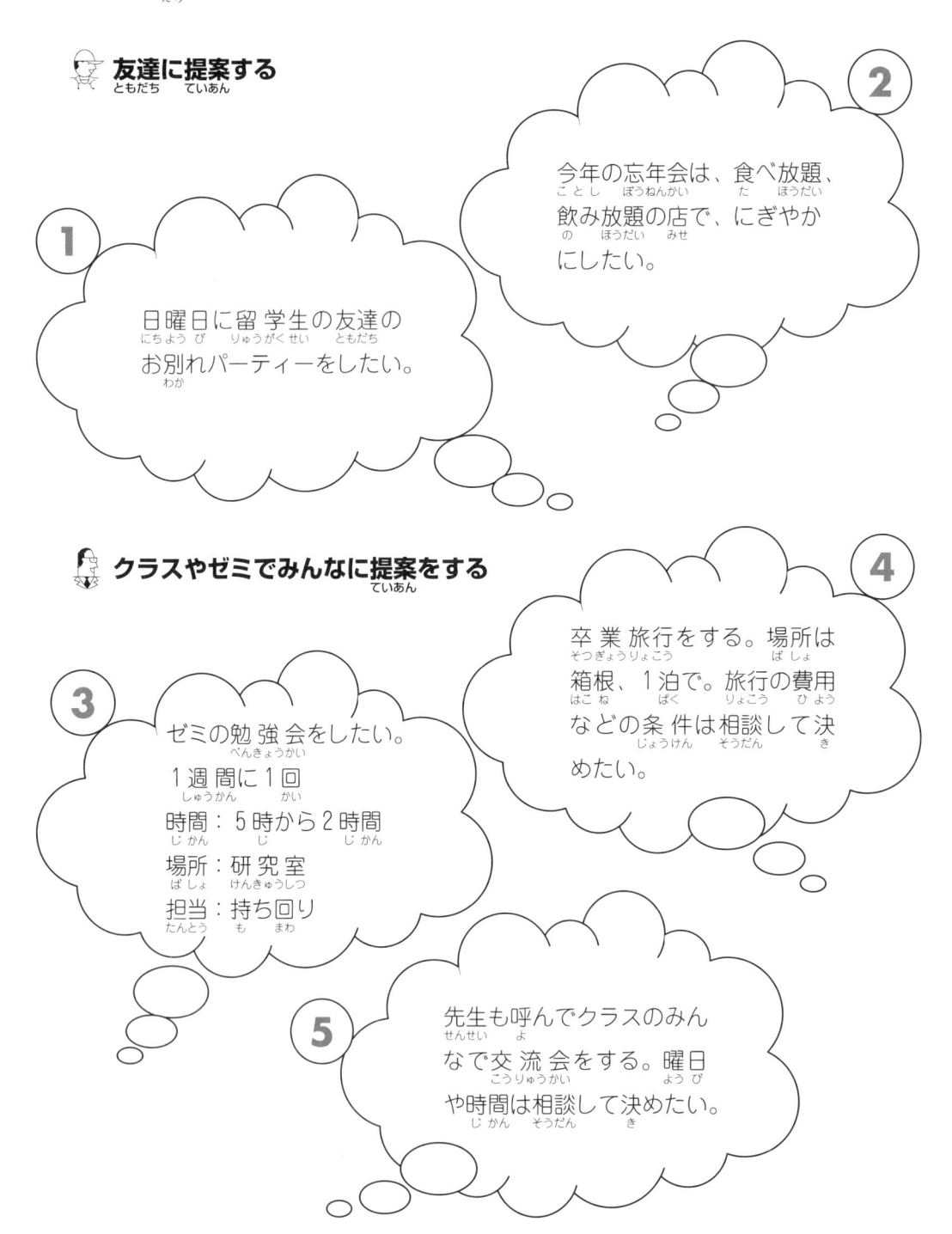

友達に提案する

1　日曜日に留学生の友達のお別れパーティーをしたい。

2　今年の忘年会は、食べ放題、飲み放題の店で、にぎやかにしたい。

クラスやゼミでみんなに提案をする

3　ゼミの勉強会をしたい。
1週間に1回
時間：5時から2時間
場所：研究室
担当：持ち回り

4　卒業旅行をする。場所は箱根、1泊で。旅行の費用などの条件は相談して決めたい。

5　先生も呼んでクラスのみんなで交流会をする。曜日や時間は相談して決めたい。

コラム 留学生活に役立てよう

友達を作ろう

　大学や専門学校などのサークルやゼミでは親睦を兼ねてよく合宿をします。みんなで飲んだり食べたりしながら話し合うのは、楽しいものです。
　日本人の学生もいろいろな地方から集まっているので、友達ができにくいと言って苦労しています。国籍は関係なく、趣味や勉強、仕事、夢などについて、夜遅くまでいろいろと語り合うのは、友達作りやいい思い出作りにもなることでしょう。

19 合宿場所の相談をする

大学生活に備えよう

20. 面接の練習をする
めんせつ　　れんしゅう

目的 — 目的の確認

1. いろいろな面接試験での質問に適切に答えることができる。
2. 専門学校や大学の面接試験に備えることができる。

ウォームアップ — ロールプレイへの準備

1. 今までどんな面接試験を受けたことがありますか。そのとき、どんなことに気をつけましたか。
2. 専門学校や大学の面接ではどんなことを質問すると思いますか。
3. あなたが学校の面接官だったら、次のA、Bのどちらの人を合格にしますか。

①挨拶　　　　②服装　　　　③態度
A　B　　　　A　B　　　　A　B

大学生活に備えよう

ロールプレイ 今持っている力で課題達成　　　＊Ａさんから話しましょう

20　面接の練習をする

ロールカード A

役　割：日本語学校の学生
状　況：観光専門学校の試験の前に、先生と面接の練習をしています。
　　　　この学校は授業内容がいいだけでなく、留学生のサポートも充実していると先輩から聞きました。国際観光科で、ガイドになるための知識と技術を学びたいと考えています。入学できたら、在学中に通訳ガイドの資格も取りたいです。卒業後は国の観光会社に勤めるつもりです。
すること：面接官役の先生と面接の練習をしてください。ドアをノックして入る練習から始めてください。

ロールカード B

役　割：日本語学校の先生
状　況：観光専門学校に入りたい学生と面接試験の練習をしています。次のようなことを聞く予定です。

　　　　・日本語学校名　・学生の名前　・この学校を選んだ理由
　　　　・卒業後の予定…など

すること：面接官役になって面接練習の質問をしてください。

発表して、気づいたことを話そう　　　＊「気づきシート」使用

Q：自分の言いたいことが話せましたか。
　　友達の会話は、どんなところがよかったですか。
　　自分と違うところは、どんなところでしたか。

大学生活に備えよう ⑥

会話を考えよう　会話の予測　　　　　　　　　　　　＊ＣＤ使用

①会話の流れを確認しながら次の＿＿＿にどんなことばが入るのか、考えてみましょう。

②ＣＤを聞いて、便利だと思ったことばや気がついたことについて話しましょう。

（Ａ：山川日本語学校の学生　チェ・ショウ　Ｂ：日本語学校の先生）

Ａ：（ドアをノックする）①＿＿＿＿＿＿＿＿＿＿。

Ｂ：どうぞ、お座りください。学校とあなたのお名前を言ってください。

Ａ：山川日本語学校の②＿＿＿＿＿＿＿＿＿＿＿＿＿＿＿＿。

Ｂ：チェさんはどうしてこの学校を選びましたか。

Ａ：先輩から、こちらの学校は③＿＿＿＿＿＿＿＿＿＿＿＿＿＿＿＿＿＿＿＿＿＿＿＿＿＿＿＿＿＿＿＿。

Ｂ：そうですか。国際観光科で特に何を勉強したいですか。

Ａ：ガイドになるための知識や技術を学びたいです。在学中に通訳ガイドの資格も取得したいと考えています。

Ｂ：卒業後はどうするつもりですか。

Ａ：はい、国に帰って観光会社に④＿＿＿＿＿＿＿＿＿＿。

Ｂ：そう、頑張って勉強してくださいね。

Ａ：はい、⑤＿＿＿＿＿＿＿＿＿＿＿＿＿＿＿＿＿＿。

（5分後、面接終了）

Ｂ：はい、分かりました。では、これで面接は終わりです。お疲れさまでした。

Ａ：はい、⑥＿＿＿＿＿＿＿＿＿＿＿＿＿＿＿。
　　失礼します。

会話の流れ

1. 面接で答える

　あいさつ

　選択理由

　目標

　将来の抱負

　あいさつ

2. 会話を終える

表現・語彙 状況に応じた話し方や関連語彙を学ぶ

1. 面接の質問にどのように答えますか。次の□の中の表現例を参考に話しましょう。

（理由）選んだ理由	・〜だけでなく〜も〜と聞きましたから。 ・〜からです。
（希望・予定）何をしたいか	・〜したいです。　・〜したいと考えています。 ・〜するつもりです。
（可能）何ができるか	・〜ができます。　・〜は〜ので〜が得意です。

例）美容学校の面接
　　面接官：どうして美容の勉強がしたいんですか。
　　学　生：小さいときから髪型を工夫するのが好きで、美容師の資格を取って将来は美容室を経営したいと考えているからです。

①経済大学の面接
　　面接官：経済を学びたいということですが、特にどんなことを学びたいですか。
　　学　生：日本とわたしの国＿＿＿＿＿＿＿＿＿＿＿＿＿＿＿＿＿＿＿。

②レストランのアルバイト
　　面接係：この仕事の経験はありますか。
　　学　生：はい、ファミリーレストランで働いたことがあります。レストランの仕事は＿＿＿＿＿＿＿＿＿＿＿＿＿＿＿＿＿＿＿。

2. 専門学校や大学の面接官になったつもりで、ペアで次の質問をし合ってください。（どんな学校にするかは自由です。）

①どうして日本の学校で勉強したいのですか。
②どうしてこの学校を選びましたか。
③生活費はどうしていますか。アルバイトはしていますか。
④あなたの長所と短所を教えてください。
⑤この学校を卒業したあとはどうしますか。
⑥この学校のほかにどこか受験しますか。

もう一度、発表しよう　コミュニケーション力の向上　＊「気づきシート」使用

テーマを選んでロールプレイをしましょう。

学校の面接試験

1　情報専門学校
・コンピューターを専門に学びたい。
・卒業後は日本で就職したい。

2　芸術大学
・日本のアニメに関心がある。
・国でアニメーション制作の会社を作りたい。

3　美容専門学校
・最新の美容技術を身につけたい。
・国で美容室を経営したい。

アルバイトの面接試験

4　レストラン
・接客の仕事の経験がある。
・採用してもらえたら一生懸命働きたい。

5　翻訳の手伝い
・少し経験がある。
・日本語の勉強になるので給料は安くてもかまわない。

6　○○語会話の先生
・教師の経験がある。
・夕方からが都合がいい。

コラム　留学生活に役立てよう

面接を受けるときの心構え

受験や就職、アルバイトの面接試験などの、人生の中で面接を受ける機会は何度もあります。面接で気をつけなければいけないことは何でしょうか。次の面接の心構えはどうでしょうか。面接場面を想像し、いいかどうかをチェックしながらみんなで話しましょう。

① (　) ふだんどおりの自分を見てもらうためにジーンズとTシャツで行く。
② (　) 面接官の質問が聞き取れなかったら「すみません、よく聞こえなかったんですが…。」「もう一度言っていただけませんか。」と言う。
③ (　) 答えられない質問にも「分からない」と言わないで、うそでも答える。
④ (　) 短時間で自分をアピールするには、相手に質問させずに早口でたくさん話す。
⑤ (　) 相手の目をじっと見るのは失礼だから下を向いて話す。

解答例　①×　②○　③×　④×　⑤×

21. 進学について教えてもらう

目的　目的の確認

1. 進学について相談し、助言を求めることができる。
2. 分からないことについて質問することができる。

ウォームアップ　ロールプレイへの準備

1. 進学するときは、どんな準備をすればいいでしょうか。また、いつごろから準備すればいいのでしょうか。みんなで話し合ってみましょう。
2. 大学によって出願書類はいろいろですが、一般的に進学に必要な書類は何でしょうか。
3. 「受験の計画」「オープンキャンパス」「ゼミ」とは、何でしょうか。

ロールプレイ　今持っている力で課題達成　　＊Aさんから話しましょう

ロールカード A
役　　割：学生
状　　況：今年大学への進学を考えていますが、まだ具体的にどうすればいいのか分かりません。今日、久しぶりに先輩と一緒に会うことになっています。
すること：先輩に会ったら進学について相談して、どんな準備をすればいいのかを聞いてください。

ロールカード B

役割：大学生（Aの先輩）

状況：現在大学1年生です。去年受験を経験しましたが、準備が遅かったので大変でした。後輩たちが苦労しないように、自分の経験を教えてあげたいと思っています。今日、久しぶりに後輩と一緒に会うことになっています。

基本的な受験準備
① 受験の計画を立てる
② 進学したい学校の「オープンキャンパス」などに参加する
③ 「願書」を取り寄せる
④ 高校の卒業証明書などの「出願に必要な書類」を準備する
⑤ 「面接練習」をする

すること：後輩に会ったら、進学について何かアドバイスしてあげてください。

発表して、気づいたことを話そう　　＊「気づきシート」使用

Q：自分の言いたいことが話せましたか。
　　友達の会話は、どんなところがよかったですか。
　　自分と違うところは、どんなところでしたか。

会話を考えよう　会話の予測　　＊ＣＤ使用

①会話の流れを確認しながら次の＿＿＿にどんなことばが入るのか、考えてみましょう。

②ＣＤを聞いて、便利だと思ったことばや気がついたことについて話しましょう。

（Ａ：学生　Ｂ：大学生）

Ａ：先輩、①＿＿＿＿＿＿＿＿＿＿＿＿＿＿。大学生活はどうですか。
Ｂ：うん、忙しいけど楽しいよ。
Ａ：ところで、今日は先輩に、ちょっと②＿＿＿＿＿＿＿＿＿＿＿＿＿＿＿＿＿＿＿＿＿＿。
Ｂ：うん、何？
Ａ：実は、今年③＿＿＿＿＿＿＿＿＿＿＿＿＿＿んですが、まだ具体的にどうすればいいのか分からないんです。何から④＿＿＿＿＿＿＿＿＿＿＿＿＿＿＿＿＿。
Ｂ：そうだね、まず、受験の計画を立てたほうがいいよ。
Ａ：受験の計画ですか。なるほど。
Ｂ：そう、それから進学したい学校の「オープンキャンパス」に参加するといいよ。
Ａ：はあ、「オープンキャンパス」⑤＿＿＿＿＿＿＿＿＿＿＿？
Ｂ：「オープンキャンパス」っていうのは、受験生のために大学や専門学校を開放して見学させてくれることだよ。
Ａ：ああ、そうですか。おもしろそうですね。
Ｂ：うん、あと、「願書」を取り寄せて、「出願に必要な書類」を準備して、「面接練習」かな。
Ａ：へえ、いろいろ大変なんですね。
Ｂ：そう。だから早く準備したほうがいいよ。
Ａ：本当ですね。今日はどうもありがとうございました。
Ｂ：うん、また何かあったらいつでも相談して。
Ａ：はい、⑥＿＿＿＿＿＿＿＿＿＿＿＿＿＿＿。

会話の流れ

1. 話しかける
2. 助言を求める
   - 前置き
   - 事情説明
   - 助言を求める
   - 質問する
   - お礼を言う
3. 会話を終える

表現・語彙　状況に応じた話し方や関連語彙を学ぶ

1. 次のようなとき、先生や係りの人にどのように聞いたらいいでしょうか。例のように話しましょう。

例）進学したいが、準備の方法が分からないとき
　　あのう、進学しようと思っているんですが、どうすればいいですか。

① 「キャンパスツアー」に参加したいが、学校への行き方が分からないとき
　　_____。

② 説明会で「ゼミ」について聞きたいが、だれに聞くのか分からないとき
　　_____。

③ 研究生になりたいが、準備の方法が分からないとき
　　_____。

④ 奨学金をもらいたいが、申し込み方法が分からないとき
　　_____。

2. 次のようなとき、先生や係りの人にどのように聞いたらいいでしょうか。例のように話しましょう。

例）「キャンパスツアー」の意味が分からないとき
　　あのう、「キャンパスツアー」って何ですか。

① 「ゼミ」が何か分からないとき
　　_____。

② 「研究生」と「大学院生」とは、どう違うのか分からないとき
　　_____。

③ 「面接試験」でどんなことを質問されるのか分からないとき
　　_____。

もう一度、発表しよう コミュニケーション力の向上　　＊「気づきシート」使用

テーマを選んでロールプレイをしましょう。

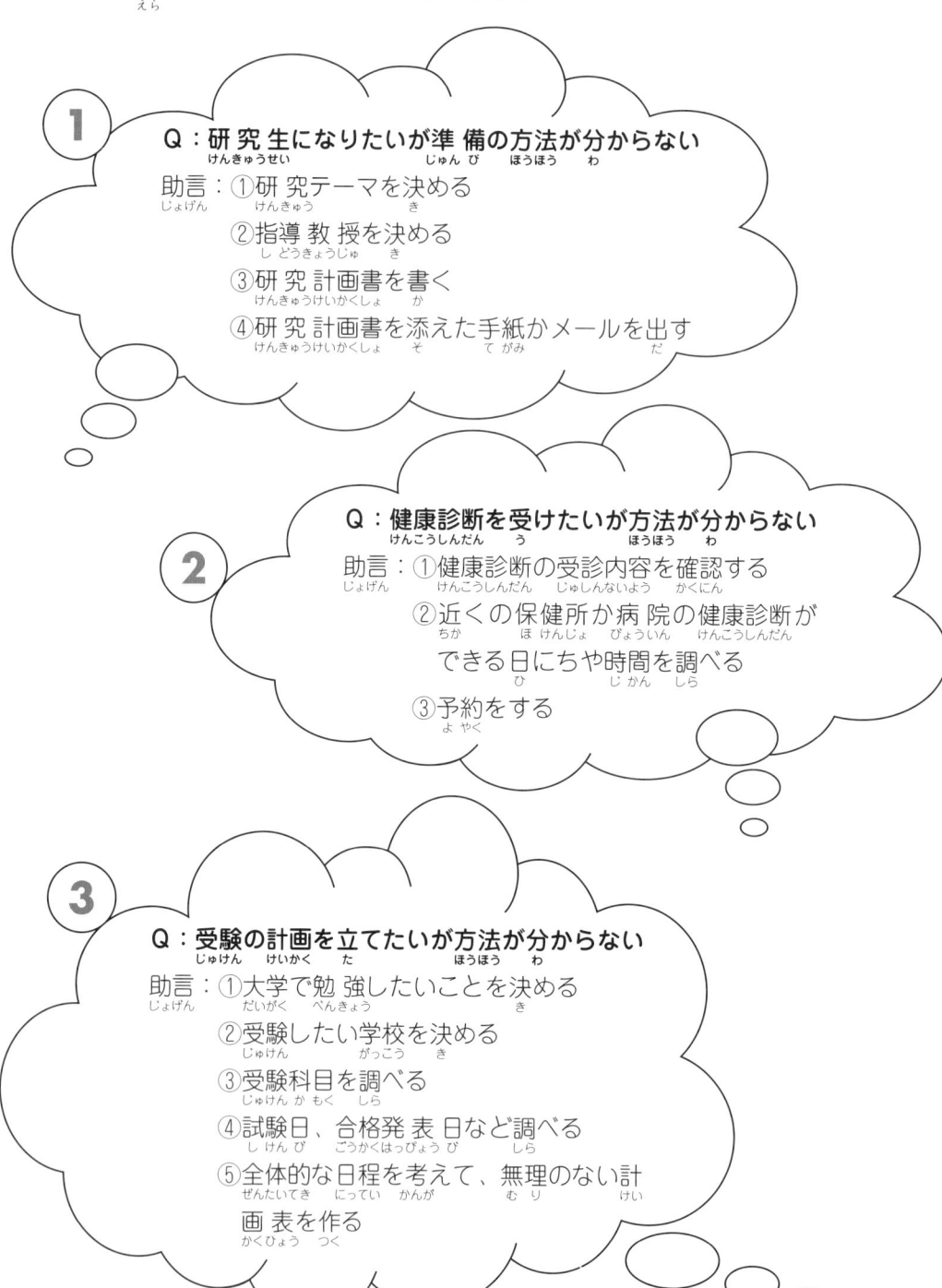

1

Q：研究生になりたいが準備の方法が分からない

助言：①研究テーマを決める
　　　②指導教授を決める
　　　③研究計画書を書く
　　　④研究計画書を添えた手紙かメールを出す

2

Q：健康診断を受けたいが方法が分からない

助言：①健康診断の受診内容を確認する
　　　②近くの保健所か病院の健康診断が
　　　　できる日にちや時間を調べる
　　　③予約をする

3

Q：受験の計画を立てたいが方法が分からない

助言：①大学で勉強したいことを決める
　　　②受験したい学校を決める
　　　③受験科目を調べる
　　　④試験日、合格発表日など調べる
　　　⑤全体的な日程を考えて、無理のない計画表を作る

22. 友達と意見を出し合う

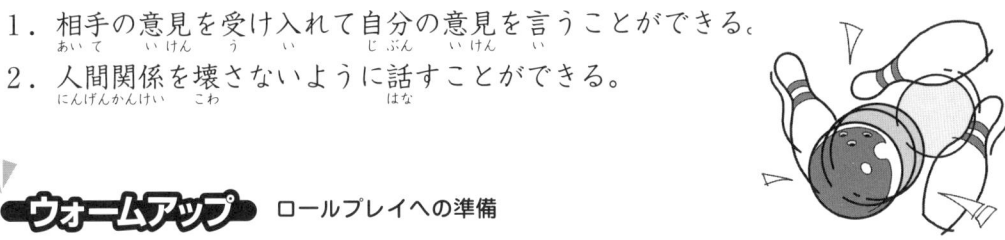

目的 — 目的の確認

1. 相手の意見を受け入れて自分の意見を言うことができる。
2. 人間関係を壊さないように話すことができる。

ウォームアップ — ロールプレイへの準備

1. クラスの交流会をするとしたら、どんなことをしたいですか。
2. みんなの意見がまとまらないときはどうしますか。
3. 意見が対立したときは、どのようなことに気をつけて話しますか。
4. 今、クラスで次のような交流会の案が出たらあなたはどちらに賛成しますか。

> ①グループ対抗の、卓球大会かボーリング大会で盛り上がろう！
> ②野外バーベキューでのびのびと自然を楽しもう！

大学生活に備えよう ⑥

ロールプレイ　今持っている力で課題達成　　＊Aさんから話しましょう

ロールカード A

役　　割：学生
状　　況：クラスの交流会で何をしたいか、友人のBさんと話しています。グループ対抗のボーリング大会を提案したいと思っています。ボーリング大会はいつも盛り上がります。今月は、駅前のボーリング場がサービス期間中で、1ゲーム350円と安いのも魅力です。
すること：今度の交流会は、グループ対抗のボーリング大会をしたいとBさんに話して、2人の意見をまとめてください。

ロールカード B

役　　割：学生
状　　況：クラスの交流会で何をしたいか、友人のAさんと話しています。前回は卓球大会で室内だったので、今回は、近くの川でバーベキューをしたいと提案するつもりです。外で、ゲームをしたり、散歩をしたりして自然の空気を吸いたいと思っています。
すること：今度の交流会は、バーベキューをしたいとAさんに話して、2人の意見をまとめてください。

発表して、気づいたことを話そう　　＊「気づきシート」使用

Q：自分の言いたいことが話せましたか。
　　友達の会話は、どんなところがよかったですか。
　　自分と違うところは、どんなところでしたか。

会話を考えよう　会話の予測　＊CD使用

①会話の流れを確認しながら次の_____にどんなことばが入るのか、考えてみましょう。

②CDを聞いて、便利だと思ったことばや気がついたことについて話しましょう。

（A：学生　B：学生）

A：あのさ、今度の交流会は、グループ対抗のボーリング大会がいいと思うんだけど…。

B：①_____、たまには外でのびのびしたいなあ。近くの川でバーベキューっていう案はどう？

A：バーベキューも②_____、やっぱりボーリング大会のほうが盛り上がるよ。

B：③_____、前回も卓球大会で室内だったし、今度は、自然の空気を吸おうよ。バーベキューやゲームで盛り上がるよ。

A：④_____、今月は、駅前のボーリング場が1ゲーム350円で⑤_____。バーベキューは、次にしようよ。

B：んー、そうだねぇ…。でも、ボーリングはほかにもお金がかかりそうだし、バーベキューのほうが⑥_____
_____。

A：⑦_____、外は天気が気になるよね。雨が降ったら悲惨だよ。準備だって大変だしさ。

B：そうだね、最近、雨が多いしね。じゃ、⑧_____
_____。

A：うん、そうしよう。

会話の流れ

1. 意見を出し合う

   意見を言う

   反論し合う

   意見をまとめる

2. 会話を終える

22　友達と意見を出し合う

表現・語彙　状況に応じた話し方や関連語彙を学ぶ

相手の意見を受け入れてから反論するときの表現はいろいろあります。次の□の中の表現例を参考にして話しましょう。

・それは／そりゃ、そうだけど	・それは、そうですが
・そうかもしれないけど	・そうかもしれませんが
・AもいいけどやっぱりBのほうが～だ。	・Aもいいと思いますが、やはりBのほうが～です。
・なるほど～けど、～っていうこともあるよ。	・なるほど～ですが、～ということもあります。
・確かに～だけど、～とはかぎらないよ。	・確かに～ですが、～とはかぎりません。

例）友達同士の会話
　A：うそは絶対によくないよ。
　B：**そうかもしれないけど**、うそをついたほうがいいときもあると思うな。

① 友達同士の会話
　A：おしゃれに気を遣わなくていいから、学校の制服はあったほうがいいよ。
　B：なるほどね。でも、自分で服を選ぶことで服装のセンスがよくなる_____
　　_____。

② クラスの討論会
　A：子供は田舎で育つほうがいいと思います。なぜなら、田舎は空気がきれいで、健康にいいからです。
　B：_____田舎は空気がきれいですが、子供の教育には、やはり都会のほうが_____。都会は学校や文化施設が多いですから。

③ クラスの討論会
　A：女性は結婚したら専業主婦になるほうがいいと思います。子供はいつもお母さんと一緒にいるほうが幸せですから。
　B：_____、そういう意見も_____、いつも母親といることが子供の幸せとはかぎりません。

もう一度、発表しよう　コミュニケーション力の向上　＊「気づきシート」使用

テーマを選んでロールプレイやミニディベートをしましょう。

1

うそは
- A：時には必要
- B：絶対よくない

2

女性は
- A：結婚後も仕事を続けたほうがいい
- B：専業主婦になったほうがいい

3

先生は
- A：厳しいほうがいい
- B：厳しくないほうがいい

4

デート代は
- A：男性が払うほうがいい
- B：割り勘がいい

5

学校の制服は
- A：あったほうがいい
- B：ないほうがいい

ミニディベートの進め方（3人以上）

1．テーマを決める。
2．クラスをAグループ、Bグループ、判定グループの三つに分ける。
3．意見シートに理由をできるだけたくさん書き、グループ内で話す順序を決める。
4．AグループとBグループが交互に一人ずつ意見を言う。
　①まず、Aグループの一人が意見を言う。
　②次に、Bグループの一人が反論する形で意見を言う。
　③同様に、Aグループ→Bグループ→Aグループと順番に全員が意見を言い、最後の人が自分たちの意見をまとめて言う。
5．判定グループは、AとBグループのどちらが説得力があったか判定し、その理由を言う。
6．次はA・Bの立場を変えてもう一度同じテーマで行う。
7．活動を振り返り、気持ちの変化などについてみんなで話そう。

＜意見シート＞理由をできるだけ多く出してから話しましょう。　　＿＿月＿＿日

意見A＿＿＿＿＿＿＿＿＿＿＿＿＿　　　意見B＿＿＿＿＿＿＿＿＿＿＿＿＿

＜理由＞
① ＿＿＿＿＿＿＿＿＿＿＿＿＿＿＿＿
② ＿＿＿＿＿＿＿＿＿＿＿＿＿＿＿＿
③ ＿＿＿＿＿＿＿＿＿＿＿＿＿＿＿＿
④ ＿＿＿＿＿＿＿＿＿＿＿＿＿＿＿＿
⑤ ＿＿＿＿＿＿＿＿＿＿＿＿＿＿＿＿
⑥ ＿＿＿＿＿＿＿＿＿＿＿＿＿＿＿＿
⑦ ＿＿＿＿＿＿＿＿＿＿＿＿＿＿＿＿
⑧ ＿＿＿＿＿＿＿＿＿＿＿＿＿＿＿＿
⑨ ＿＿＿＿＿＿＿＿＿＿＿＿＿＿＿＿
⑩ ＿＿＿＿＿＿＿＿＿＿＿＿＿＿＿＿

＜理由＞
① ＿＿＿＿＿＿＿＿＿＿＿＿＿＿＿＿
② ＿＿＿＿＿＿＿＿＿＿＿＿＿＿＿＿
③ ＿＿＿＿＿＿＿＿＿＿＿＿＿＿＿＿
④ ＿＿＿＿＿＿＿＿＿＿＿＿＿＿＿＿
⑤ ＿＿＿＿＿＿＿＿＿＿＿＿＿＿＿＿
⑥ ＿＿＿＿＿＿＿＿＿＿＿＿＿＿＿＿
⑦ ＿＿＿＿＿＿＿＿＿＿＿＿＿＿＿＿
⑧ ＿＿＿＿＿＿＿＿＿＿＿＿＿＿＿＿
⑨ ＿＿＿＿＿＿＿＿＿＿＿＿＿＿＿＿
⑩ ＿＿＿＿＿＿＿＿＿＿＿＿＿＿＿＿

＜感想＞

大学生活に備えよう

22 友達と意見を出し合う

＜反論の表現例＞

- なるほど〜ですが〜。
- そういう意見もあるでしょうが〜。
- でも、〜なんじゃないでしょうか。
- それは、そうですが〜ともいえます。ですから〜。
- 確かに〜ですが、しかし、〜の場合は〜。
- 〜とおっしゃいましたが、〜だと思います。

参考文献　＜ロールプレイに関する書籍＞

日本語教授法研究会編『ロールプレイで学ぶ会話(1)』凡人社（1987）

バルダン田中幸子他『コミュニケーション重視の学習活動２ロールプレイとシミュレーション』凡人社（1989）

山内博之『ロールプレイで学ぶ中級から上級への日本語会話』アルク（2000）

著者

中居順子	ヒューマンアカデミー株式会社日本語教師養成講座担当講師
	中央工学校附属日本語学校非常勤講師
近藤扶美	行知学園日本語学校高田馬場校教務課主任
	一般財団法人日本国際協力センター日本語非常勤講師
鈴木真理子	元「遊びと学びの会」代表
	元桜美林大学日本語非常勤講師
	元目白大学日本語非常勤講師
小野恵久子	（元）一般財団法人日本国際協力センター日本語非常勤講師
	（元）公益財団法人アジア学生文化協会日本語コース日本語非常勤講師
荒巻朋子	学芸大学非常勤講師、青山学院大学非常勤講師、明治大学非常勤講師
森井哲也	日本語教育支援員、小学校英語サポーター

装幀・本文デザイン
山田武

イラストレーション
内山洋見
森井哲也（19ページ）

会話に挑戦！
中級前期からの日本語ロールプレイ

2005年9月1日　初版第1刷発行
2025年7月4日　第18刷発行

著　者　中居順子　近藤扶美　鈴木真理子　小野恵久子
　　　　荒巻朋子　森井哲也
発行者　藤嵜政子
発　行　株式会社　スリーエーネットワーク
　　　　〒102-0083　東京都千代田区麹町3丁目4番
　　　　トラスティ麹町ビル2F
　　　　電話　03（5275）2722（営業）
　　　　https://www.3anet.co.jp/
印　刷　松澤印刷株式会社

ISBN978-4-88319-361-5 C0081

落丁・乱丁本はお取替えいたします。
本書の内容についてのお問い合わせは、弊社ウェブサイト「お問い合わせ」よりご連絡ください。
本書の全部または一部を無断で複写複製（コピー）することは著作権法上での例外を除き、禁じられています。

■ 新完全マスターシリーズ

● 新完全マスター漢字
日本語能力試験N1
　1,320円(税込)〔ISBN978-4-88319-546-6〕
日本語能力試験N2（CD付）
　1,540円(税込)〔ISBN978-4-88319-547-3〕
日本語能力試験N3
　1,320円(税込)〔ISBN978-4-88319-688-3〕
日本語能力試験N3 ベトナム語版
　1,320円(税込)〔ISBN978-4-88319-711-8〕
日本語能力試験N4
　1,320円(税込)〔ISBN978-4-88319-780-4〕

● 新完全マスター語彙
日本語能力試験N1
　1,320円(税込)〔ISBN978-4-88319-573-2〕
日本語能力試験N2
　1,320円(税込)〔ISBN978-4-88319-574-9〕
日本語能力試験N3
　1,320円(税込)〔ISBN978-4-88319-743-9〕
日本語能力試験N3 ベトナム語版
　1,320円(税込)〔ISBN978-4-88319-765-1〕
日本語能力試験N4
　1,320円(税込)〔ISBN978-4-88319-848-1〕

● 新完全マスター読解
日本語能力試験N1
　1,540円(税込)〔ISBN978-4-88319-571-8〕
日本語能力試験N2
　1,540円(税込)〔ISBN978-4-88319-572-5〕
日本語能力試験N3
　1,540円(税込)〔ISBN978-4-88319-671-5〕
日本語能力試験N3 ベトナム語版
　1,540円(税込)〔ISBN978-4-88319-722-4〕
日本語能力試験N4
　1,320円(税込)〔ISBN978-4-88319-764-4〕

● 新完全マスター単語
日本語能力試験N1 重要2200語
　1,760円(税込)〔ISBN978-4-88319-805-4〕
日本語能力試験N2 重要2200語
　1,760円(税込)〔ISBN978-4-88319-762-0〕

改訂版　日本語能力試験N3 重要1800語
　1,760円(税込)〔ISBN978-4-88319-887-0〕
日本語能力試験N4 重要1000語
　1,760円(税込)〔ISBN978-4-88319-905-1〕

● 新完全マスター文法
日本語能力試験N1
　1,320円(税込)〔ISBN978-4-88319-564-0〕
日本語能力試験N2
　1,320円(税込)〔ISBN978-4-88319-565-7〕
日本語能力試験N3
　1,320円(税込)〔ISBN978-4-88319-610-4〕
日本語能力試験N3 ベトナム語版
　1,320円(税込)〔ISBN978-4-88319-717-0〕
日本語能力試験N4
　1,320円(税込)〔ISBN978-4-88319-694-4〕
日本語能力試験N4 ベトナム語版
　1,320円(税込)〔ISBN978-4-88319-725-5〕

● 新完全マスター聴解
日本語能力試験N1（CD付）
　1,760円(税込)〔ISBN978-4-88319-566-4〕
日本語能力試験N2（CD付）
　1,760円(税込)〔ISBN978-4-88319-567-1〕
日本語能力試験N3（CD付）
　1,650円(税込)〔ISBN978-4-88319-609-8〕
日本語能力試験N3 ベトナム語版（CD付）
　1,650円(税込)〔ISBN978-4-88319-710-1〕
日本語能力試験N4（CD付）
　1,650円(税込)〔ISBN978-4-88319-763-7〕

■ 読解攻略！
日本語能力試験 N1レベル
　1,540円(税込)〔ISBN978-4-88319-706-4〕

■ 日本語能力試験模擬テスト
CD付　★は1,100円(税込)、他は990円(税込)
改訂版はWEBから音声

● 日本語能力試験N1
模擬テスト
〈1〉〔ISBN978-4-88319-556-5〕
〈2〉〔ISBN978-4-88319-575-6〕
〈3〉〔ISBN978-4-88319-631-9〕
〈4〉〔ISBN978-4-88319-652-4〕

● 日本語能力試験N2
模擬テスト
〈1〉〔ISBN978-4-88319-557-2〕
〈2〉改訂版
　〔ISBN978-4-88319-950-1〕
〈3〉〔ISBN978-4-88319-632-6〕
〈4〉〔ISBN978-4-88319-653-1〕

● 日本語能力試験N3
模擬テスト
〈1〉〔ISBN978-4-88319-841-2〕
★〈2〉改訂版
　〔ISBN978-4-88319-976-1〕

● 日本語能力試験N4
模擬テスト
〈1〉〔ISBN978-4-88319-885-6〕
〈2〉〔ISBN978-4-88319-886-3〕

スリーエーネットワーク

ウェブサイトで新刊や日本語セミナーをご案内しております。
https://www.3anet.co.jp/

会話に挑戦！
中級前期からの
日本語ロールプレイ

授業実践例・会話を考えよう例

スリーエーネットワーク

＊授業実践例「5．友達を慰める・励ます」

■ロールプレイの目的
ジェスチャーなど使い、積極的にコミュニケーションをしているクラス。会話の授業で、ロールプレイを使い自然な会話能力獲得を目指している。

■クラスのようす　クラスを半分に分けて行う会話の授業
中級クラス　：韓国人4人、台湾人13人、カナダ人2人、
　　　　　　　マレーシア人1人 計20人中10人
　　　　　　　（残り10人はＬＬ教室で聴解練習をしている）
主要テキスト：ニューアプローチ　中級日本語　基礎編

＜50分授業2コマ＞＊印は教師と学生の発話　※印は、留意点

時間	授業の流れ	授業内容　教師の指示など	学生の発話など
5分	授業開始の挨拶・出席	こんにちは！	・机を後ろに集めていすを前に半円状に並べる。 ・和やかな雰囲気。
5分	導入	■ロールプレイの＜タイトル＞＜目的＞を全員で音読。	
15分	ウォームアップ（ロールプレイへの準備）	■＜ウォームアップ＞のQ＆A Q今まで友達から失敗談や失恋の話を打ちあけられたことがある？ Qどうした？ Qみんなの国ではどうする？ Q友達を慰めたり励ましたりするときは、何と言ったらいい？ ※友達同士で何でも話せるような雰囲気作りをする。	＊ある。 ＊朝まで一緒に飲んだ、カラオケ行った…など。 ＊友達を抱きしめる ＊えー?! ＊日本ではどうするの？ ＊頑張って！ ＊ファイト！ 　大丈夫…など。

― 1 ―

10分	ロールプレイ ①黙読（2分） ②確認（3分）	■ロールカードの黙読と確認 ペアでA、Bの役を決めてロールカードを黙読する。 Q読み方が分からないことばや、意味が分からないところはありませんか。 QロールカードのA、Bさんはどんな気持ちかなあ？　よく考えてね。気持ちを入れて話そう！	＊気持ちを整理するって、どういう意味ですか。 ＊元気になってほしい。 ＊暗い、元気ないなど。
	③ペアで練習 （5分）	※表現を忘れたら、ジェスチャーでもよいと伝える。 ※会話がうまく発展しないペアには、今持っている力で頑張らせる。 S：先生、正しい日本語は何？　何て言えばいい？ T：大丈夫、大丈夫、今、言ったのでいいよ。 　　間違えてもいいよ。自信持って。	＊アクションを考えていると話すこと忘れちゃう…どうすればいい？ ＊先生、難しい〜。
15分	発表（10分） 気づいたことを話そう（5分）	■ペアで発表する Qどんなところがよかった？ ※1組終わるごとによいところを褒めて、楽しい雰囲気を作る。	＊声が大きかった。 ＊話し方と気持ちが同じだった。 ＊親友みたい。 ＊Bさんのやさしい話し方がよかったなど。
休憩			

時間	授業の流れ	授業内容　教師の指示など	学生の発話など
15分	会話を考えよう（10分） 表現・語彙（5分）	■＜会話を考えよう＞を使って下線に入ることばや表現を全員でいろいろ考え、会話の流れを確認する。 ※答えは一つと決めつけないようにする。「ああ、そうか」と学習者自身が気づくことが大切！ ※適宜、口頭でＱＡしながら確認する。	＊始めは、「何かあった？」もいいですか？ ＊話を聞くときにも、順番があるんですね。 ＊慰め、励ましのことばでよく使うものは何ですか。 ＊日本人もお酒を飲みながら慰めますか。先生は？
30分	もう一度発表しよう ①ペア練習（5分） ②発表（20分） 気づいたことを話そう（5分）	■5組すべて発表する（順番はくじ引き） Ｔ：1回目と同じトピックでもいいし、トピックを変えたい人は、好きなトピックに変えて会話を考えてください。 Ｔ：発表した人の「よいところ、改善点」を一つずつ言ってください。 ※気づきシート②使用 ※ほかの人の発表を見たり、みんなからの助言を取り入れたりして発表できるように、「発表を見るポイント」をペアごとに一つ決めて発表を聞く。 例）声の大きさ、顔の表情、動作、励まし・慰めのことばが使えたかなど。 ※会話の流れや内容へのコメントを教師がする。	・順番決めで盛り上がる。 ＊このトピック以外でもいい？ ＊悩んでる感じがよかった、暗い感じがいい。 ＊アクションがよかった。 ＊顔の表情がよかった。 ＊声が小さかったなど。 ・助言する内容を考えながら発表を聞く。 ・にこにこしながら発表する。 ・ことばに詰まると、ほかの学生がヒントを出す。
5分	授業終了	Ｑ今日の会話の目的は、達成できた？ 次回の予告	＊はあ～い。 ＊失恋した人は、わたしに話してね。受け止めるから。 ＊楽しかったあ。また、来週！

＊会話を考えよう例

1．クラスで自己紹介をする
＊CD1

<会話を考えよう例>　A：学生　キム（男）　B：学生　リン（女）

A：はじめまして。①韓国から来たキムです。

B：ああ、キムさん。はじめまして。リンです。台湾から来ました。どうぞよろしく。

A：わたしの名前はお金の「金」と書いて②キムと読むんですが、台湾も同じですか？

B：いいえ、この漢字は台湾にもありますが、読み方は違いますね。「ジン」と読みますよ。

A：そうですか。この金という漢字は③金とかお金という意味なので、よくわたしにお金があると思われるんですが、実際、お金は全然ありません。貧乏な金です。よろしく。

B：へえ、貧乏な金さんですか。わたしは木曜日の「木」という漢字を二つ書いて、「リン」と読みます。日本語で「林」とも読みますから、みんなわたしのことを「林さん」と呼びます。だからキムさんもわたしのことを「林」と呼んでください。

A：はい、じゃ、台湾の林さんね。④これからよろしく。

B：こちらこそ、よろしく。

会話の流れ

1．あいさつをする

2．自己アピールする

　　名前をアピール

3．会話を終える

<表現・語彙>解答例

自由解答

2．自分の国の料理の作り方を教える

＊CD2

<会話を考えよう例>　A：留学生（男）　B：留学生（女）

A：これ、先週、日本人の友達から教えてもらった料理なんだけど、食べてみてくれる？

B：おいしい。料理、上手だね。

A：そんなことないよ。これ、すごく簡単なんだよ。

B：本当？　①どうやって作るの？

A：あのね。②まず、牛肉を食べやすい大きさに切って、たまねぎは薄切りにしてね。

B：うん、薄切りね。

A：③それから、なべに油を入れて、牛肉とたまねぎを入れて、いためるでしょ。それに、水、酒、砂糖、しょうゆ、それから、みそを少し入れて5、6分煮るんだ。

B：みそを入れるの？

A：うん。これが、隠し味になるんだ。

B：へえ。

A：④最後に、それを温かいご飯の上にのせて、でき上がり。簡単でしょ？　肉を煮すぎないのが、コツだよ。

B：ふーん、なるほど。ありがとう。今度作ってみよう。

A：うん。作ってみて。

会話の流れ

1. 話しかける
2. 手順の説明をする
   - 手順1
   - 手順2
   - 手順3
3. 会話を終える

<ウォームアップ>解答例

a．切る　b．ゆでる　c．焼く　d．いためる　e．揚げる

<表現・語彙>解答例

1. ①1）まず／はじめに／最初に　3）最後に
   ②2）次に／そして　4）それから／そして
2. ①例：すてきな服だね／よく似合っているね
   ②例：そんなことないよ。話すのはいいけど、書くのはまだまだなんだ

― 5 ―

3．先生を飲み会に誘う
　　　　せんせい　の　かい　さそ
*CD3

＜会話を考えよう例＞　A：学生（男）　　B：先生（女）

A：あのう、先生、今、①ちょっとよろしいでしょうか。

B：ええ、いいですよ。

A：あの、前期の授業も終わるので、クラスの飲み会②をしたいと思っているんですが…。

B：そう、それはいいですね。

A：先生、③ぜひ参加していただけませんでしょうか。

B：そうですねえ。いつごろ？

A：実は、再来週は帰省する学生が多いので、来週中にしたいと思っているんですが。先生、来週④ご都合はいかがでしょうか。

B：そうですねえ、何時から？

A：はい、夜、6時ごろから⑤を予定しているんですが…。

B：じゃ、火曜の会議は4時で終わるから、火曜はどうかな。

A：はい、けっこうです。

B：場所はどこ？

A：場所は⑥まだ決まっていないんですが…。

B：じゃ、場所が決まったら、教えてください。来週火曜日ですね。楽しみにしています。

A：はい、場所は決まり次第お知らせします。じゃ、火曜日、⑦よろしくお願いいたします。

会話の流れ

1. 話しかける
2. 誘う
   - 前置き
   - 誘う
   - 相手の都合を聞く
   - 日時確認
3. 会話を終える

＜表現・語彙＞解答例

①例：今度の日曜日、横浜でお祭りがあるんだけど、一緒に行かない？

②例：今度、4、5人でテニスをする予定なんですが、よろしかったら、ご一緒にいかがですか

③例：今晩一緒に食事に行かない？　今日はわたしがごちそうするよ／おごるよ

④例：コンサートのチケットが2枚あるんですが、よろしかったら、ご一緒にいかがかと思いまして…

４．先生の誘いを断る
　　　せんせい　さそ　　ことわ
　　　　　　　　　　　　　　　　　　　　　　　　　　　＊ＣＤ４

＜会話を考えよう例＞　　Ａ：先生（男）　Ｂ：学生　イー（女）

会話	会話の流れ

Ａ：イーさん、今、ちょっといい。

Ｂ：はい。

Ａ：あした、早明大学に行っている卒業生と一緒に食事をすることになっているんだけどね。いい機会だから、イーさんも一緒にどうかなと思って…。

　　　　　　　　　　　　　　　　　　　　　　　　　　１．誘いを断る

Ｂ：ありがとうございます。

　　でも、あのう、あしたですか。　　　　　　　　　　　誘いに対するお礼

　　　　　　　　　　　　　　　　　　　　　　　　　　　断りの前置き

Ａ：うん。ちょっと、急なんだけど。

Ｂ：それが、あしたは①前から友達にアルバイトの代わりを頼まれていまして…。　　　　　　　　　　　　　　　　　理由の説明

Ａ：あ、そう。

Ｂ：②ぜひ、行かせていただきたいんですけど、前から約束しているものですから…。　　　　　　　　　　　　　　残念な気持ちを言う１

Ａ：そうか。じゃ、しかたないね。一度紹介したいと思っていたんだけどね。

Ｂ：とても残念なんですけど…。

Ａ：まあ、急な話だったから。また、今度。　　　　　　　残念な気持ちを言う２

Ｂ：③はい、ぜひそうしていただければと思います。申し訳ありません。　　　　　　　　　　　　　　　　　　　　２．会話を終える

＜表現・語彙＞解答例

１．①なものですから

　　②悪くて…

　　③わたし（僕）も、使いたいんだ…

２．①すごく、行きたいんだけど…

　　②また、今度誘って

　　③土曜日なら、大丈夫なんだけど

5．友達を慰める・励ます　　　　　　　　　　　　　　＊CD5

＜会話を考えよう例＞　A：学生（女）　B：学生　パク（男）

A：ねえ、パクさん、①どうしたの？　元気ないね。

B：うん、実は今日、クラスでスピーチ大会の練習をしたんだ。でも話し始めたらすごく緊張してきちゃって、もう何が何だかわからなくなっちゃって…。それで、途中から何も話せなくなっちゃったんだ。あーあ。

A：ふうん、②そうなんだ。大変だったね。

B：うん、もう嫌になっちゃうなあ。

A：でもさあ、一生懸命やったんだし、いつまでも③気にしてたってしょうがないよ。だれだってあるよ。あたしなんか、今まで何回④失敗したかわからないよ。

B：そうなんだ。

A：そうだよ。そんなこと気にすることないよ。この次は⑤うまくいくよ。ね、元気出して！

B：うん、そうだね。何かちょっと気持ちが楽になった感じ。ありがとう。

A：えっほんと。よかったあ。じゃ、またあしたね。

B：うん、またあした。

会話の流れ
1. 話しかける
2. 慰める・励ます

　相手の気持ちを受け止める
　慰めたり励ましたりする

3. 会話を終える

＜表現・語彙＞解答例

①例：大したことないよ

②例：そうなんだ，元気出して

③例：わざとやったんじゃないんだから

④例：分かるよ、Aさんの気持ち，何回失敗したか、分からないよ

6．パーティーで初対面の人と話す

＊CD6

<会話を考えよう例>　　A：留学生（中国出身）　リン（女）
　　　　　　　　　　　　B：日本人学生（京都出身）　鈴木（男）

会話の流れ
1．話しかける
2．話を続ける
関心を示す
話題展開
話題共有
話題展開
3．会話を終える

A：あのう、はじめまして。①中国から来た留学生のリンです。

B：リンさんですか。はじめまして。鈴木と申します。

A：鈴木さんは東京の方ですか。

B：いいえ。京都です。

A：京都ですか。京都っていうと、②「祇園」という美しい町並みが残っているって聞いたんですけど。

B：ええ。歴史が古いですから、東京にないものがありますね。

A：京都は、前からぜひ行ってみたいと思っていたところです。京都料理って③きれいだそうですね。鈴木さんもよく食べるんですか。

B：いいえ。高くて量が少ないですから、ふだんはカップラーメン。

A：なあんだ。わたし④と同じですね。わたしもよく食べますよ。

B：そうですか。ところで、このおすしおいしいですね。

A：そうですね。おいしいですね。でも、回転ずしも安くておいしいからよく行きますよ。

B：あっ、そうなんだ。同じですね。あと、牛丼屋なんかにもよく食べに行きますよ。

A：あっ、わたしもです。ところで、牛丼って⑤作るの難しいんですか。

B：そんなに難しくないですよ。わたしでも作れるから。今度、作り方教えてあげましょうか。

A：ありがとうございます。⑥今度、ぜひ教えてください。

<表現・語彙>解答例

①例：いつ行っても人がいっぱいでにぎやかですよね

②例：わたしの国にも回転ずし屋が何軒かできて、けっこう人気があるんですよ

③例：日本もサッカーファンが多いですね
④例：日本の温泉地には露天ぶろがあるって聞いたんですけど、一度行ってみたいですね
⑤例：具体的にどんなことを勉強するんですか

7．電話をかけて伝言を頼む

＊CD7

＜会話を考えよう例＞　A：山川日本語学校の学生　Aクラスのリー（女）
　　　　　　　　　　　B：山川日本語学校の事務員（男）

A：もしもし、①山川日本語学校ですか。

B：はい。山川日本語学校です。

A：わたし、②Aクラスのリーと申しますが、佐藤先生は、③いらっしゃいますか。

B：佐藤先生は、今、授業中で電話に出られませんが…。

A：じゃあ、④すみませんが、伝言をお願いしてもよろしいでしょうか。

B：はい、どうぞ。

A：あのう、昨日の夜、熱が出て薬を飲んだんですが、まだ、熱が下がらないんです。先生に「⑤病院に行って診てもらおうと思っていますから、場合によっては欠席するかもしれない」と伝えていただけませんか。

B：はい、分かりました。「リーさんは病院に行くので遅刻、場合によっては欠席する」と、佐藤先生にお伝えしますね。

A：はい、ありがとうございます。⑥よろしくお願いします。

B：はい、リーさん、お大事にね。さようなら。

会話の流れ

1. 伝言を頼む
   - 電話をかける
   - 名前を言う
   - 伝言を頼む
   - 伝言の内容を頼む

2. 会話を終える

＜表現・語彙＞解答例

①例：〜さんのお宅ですか

②例：何時ごろ、お帰りになりますか／お戻りになりますか

③例：お伝えください／お伝え願えますでしょうか／伝えていただけませんか

④例：こちらから、お電話いたします

8. 医者に症状を説明をする

*CD 8

＜会話を考えよう例＞　A：内科の医者（男）　B：患者（女）

A：どうぞ。どうしましたか。

B：あのう、1週間ぐらい前から、吐き気がして胃①がムカムカするんですが…。

A：食欲はありますか。

B：ちょっと食べても②吐いてしまうので、食欲は全然ないんです。

A：熱はありますか。

B：はい、昨日から少し③熱が出てきて心配なんですけど…。

A：何度ぐらいありますか。

B：今日は37度2分なんですけど…。

A：のどを見せてください。…ああ、すこし腫れていますね。今、はやりの風邪でしょう。

B：胃の調子が悪いのと風邪は④関係があるんですか。

A：ええ、関係あります。吐き気がして微熱が出る風邪がはやっていますから。胃の調子が悪くなる人が多いですね。

B：へえ、⑤そうなんですか。

A：一応、おなかの状態もみてみましょう。はい、そこに横になって。下痢はしていませんか。

B：いいえ、⑥していません。

A：うん、心配ありません。風邪の引き始めですね。すぐ治りますよ。薬を飲んでようすをみてください。

B：はい、どうもありがとうございました。

A：お大事に。

会話の流れ

1. 症状を説明する
   - 症状1
   - 症状2
   - 不安を話す
   - 質問する
   - 納得する
2. 会話を終える

＜ウォームアップ＞解答例　①E　②C　③A　④F　⑤B　⑥D

＜表現・語彙＞解答例　1. ①G　②D　③B　④A　⑤E　⑥F　⑦C
　　　　　　　　　　　2. A③　B②　C④　D⑤　E①

9．財布をなくして説明する　　　　　　　　　　　　　　　　　　＊CD 9

<会話を考えよう例>　　A：学生（女）　B：警察官（男）

A：あのう、すみません。財布を落としてしまったんですけど。
B：どんな財布ですか？
A：①黒の二つに折りたためるタイプの物なんですけど。
B：お金はいくらぐらい入っていましたか？
A：②15,000円ぐらいと、あと③ハナマル銀行のキャッシュカードと定期券、それから学生証も。困ったな…。
B：銀行のキャッシュカードも？
A：ええ。
B：銀行には連絡しましたか。
A：はい、もう電話してカードが使われないようにしてもらいました。
B：そう、じゃよかったね。どの辺で落としたか分かりませんか。
A：えーと…。学校出てすぐ自動販売機でジュース買ったから④そのときまではあったんですけど。
B：じゃ、なくしたのは学校を出てからですね。
A：はい。
B：分かりました。それじゃ、見付かったら連絡しますから、この紛失届に住所と名前と電話番号を書いてください。
A：はい、分かりました。⑤いろいろとありがとうございます。

会話の流れ
1. 話しかける
2. 物の形と状況を説明する
　　物の形
　　中身
　　状況
3. 会話を終える

<表現・語彙>解答例

1. ①例：大型の肩からかけるかばんで、中には教科書と電子辞書が入っているんです
　 ②例：自転車の色は黒です。防犯登録はしてあるんですけど
　 ③例：財布をなくしてしまったんです。お金が5,000円くらい入っているんですけど
2. ①ウ　②エ　③ア　④イ

10. 希望の部屋を探す

*CD10

<会話を考えよう例> A:学生(男) B:不動産屋(女)

A:あのう、すみません。

B:はい、いらっしゃいませ。

A:①3万円以下のアパートを探しているんですけど。

B:そうですか。3万円以下のアパートですね…。この2万8千円のはどうですか。

A:あっ、安いですね。でも、トイレは共同ですか。

B:ええ、そうなりますね。

A:あのう、②できたらトイレ付きの部屋のほうがいいんですけど。

B:でも、家賃が3万以下でトイレ付きはちょっと…。この3万8千円のはトイレもシャワーもありますよ。

A:うーん。でも、ちょっと高いですね。③高くても3万円以下に抑えたいんですけど。

B:そうですか。すみませんが、その条件ですと、ちょっと難しいですね。

A:分かりました。じゃ、この2万8千円の④部屋を見せてもらいたいんですけど。

B:いいですよ。じゃ、今からご案内しましょうか。

A:ええ、お願いします。

会話の流れ

1. 話しかける
2. 希望を言う
   - 希望1
   - 希望2
   - 希望3
3. 会話を終える

<表現・語彙>解答例

1. ①例:家賃は3万5千円以下で、敷金や礼金はできるだけ安いほうがいいんですが
   ②例:部屋は狭くてもいいですから、南向きの日当たりのいい部屋で、家賃はできたら4万円以下がいいんですけど
   ③例:できれば家賃は5万円ぐらいで、1DKで6畳の部屋を探しているんですけど。ふろ付きだともっといいんですけど
   ④例:友達と住むので最低でも2部屋は欲しいんです。家賃も8万円ぐらいまでに抑えたいので、駅から遠くても大丈夫です

11. 電話でアルバイトに応募する　　　　　　　　　　＊CD11

<会話を考えよう例>　A：留学生（女）

B：日本語教育を担当している先生（男）

A：もしもし、あのう、模擬授業の①<u>アルバイトのことでお電話したんですが</u>。ご担当のかたいらっしゃるでしょうか。

B：担当の者ですが、模擬授業のバイトやってくれるんですか。

A：はい、それで、②<u>アルバイトの曜日と時間を知りたいんですが</u>。

B：再来週の月曜日、火曜日、木曜日の午後1時から3時までです。

A：火曜日は別のアルバイトが入っているので、月曜と木曜の③<u>2回ではだめでしょうか</u>。

B：できれば、3回来てくれる人を探しているんですが…。

A：そうですか。でも日本語教育に関心があるので、④<u>ぜひやらせていただきたいんですが</u>。

B：ああ、それなら、2回でも、けっこうですよ。

A：あのう、⑤<u>時給はいくらなんでしょうか</u>。

B：時給は1,000円です。

A：そうですか。じゃあ、ぜひ、お願いします。それから、学生の役って⑥<u>どんなことをすればいいんでしょうか</u>。

B：日本語の授業を自然に受けてくれればいいんですよ。

A：分かりました。それでは、よろしくお願いします。

会話の流れ

1. 問い合わせる

　前置き

　情報求め1

　条件提示

　応募する

　情報求め2

　情報求め3

2. 会話を終える

<表現・語彙>解答例

1. ①例：受付のアルバイトのことでお電話したんですが、必要な資格などあるんでしょうか

②例：健康診断書の件でお聞きしたいのですが、そちらでは、いつ健康診断をやっていますか

③例：そちらの大学のオープンキャンパスについてお聞きしたいんですが、いつ行われる予定ですか

— 15 —

④例：あのう、そちらの大学を受けたいと思っているのですが、ご担当のかたいらっしゃるでしょうか。学費免除など留学生のための制度について詳しく知りたいんですが。

2．①例：週4日となっていますが、3日でもいいでしょうか
　　②例：夕刊だけではだめでしょうか

12. 日にち変更の許可を求める　　＊ＣＤ12

<会話を考えよう例>　　A：アルバイトの留学生(女)　　B：コンビニの店長(男)　　会話の流れ

A：店長、すみません。①今よろしいでしょうか。

B：うん、いいよ。

1. 話しかける

A：ちょっとお願いがあるんですが…。

B：何？

2. 許可を求める

A：実は、アルバイトの②曜日のことなんですけど…。

B：うん。

前置き

A：今まで月曜日から金曜日までアルバイトに入っていましたが、来月から③木曜日は休ませていただきたいんですが。

B：えっ、木曜日！　何で？

許可を求める

A：ええ、あの…、④実は、毎週金曜日テストがありまして、木曜日は家で勉強したいんです。

B：でも、月曜日から金曜日までしてくれるって言うから、採用したんだよ。本当に困るなあ！

事情説明

A：⑤そこを何とかお願いいたします。

B：しょうがないなあ。勉強が大事だからね。でも、これ以上バイトの日を減らさないでね。

A：はい。木曜日だけでいいんです。⑥本当にすみません。

許可へのお礼

B：…分かったよ。じゃあ、来月からね。

A：はい。ありがとうございます。

3. 会話を終える

<表現・語彙>解答例

①例：ご迷惑でなかったら、わたしのほかにクラスの友達を連れて行ってもよろしいでしょうか

②例：来月大学の試験を受けるので、申し訳ないんですが、今月の末でアルバイトを辞めさせていただきたいですが…

③例：ごめん！　1本だけ吸わせてもらえる？

④例：お掃除中、すみませんが、トイレを使ってもいいでしょうか

⑤例：この曲すごく好きだから、ちょっと聴いてもいいかなあ

― 17 ―

13. 日常生活でいろいろなことを頼む

*CD13

＜会話を考えよう例＞　A：留学生（男）　B：先生（女）

A：先生、今①<u>ちょっとよろしいでしょうか</u>。

B：いいですよ。何ですか。

A：実は、日本語の勉強のために最近②<u>歌を聴いているんです</u>。

B：「日本の歌」ですか。それはいいですね。どんな歌ですか。

A：ポップスなんですが…。これなんです。

B：ああ、これ、今すごくはやっている歌ですよね。

A：ええ。それで、③<u>お願いがあるんですが</u>。

B：何でしょうか。

A：歌詞の中で辞書を引いても④<u>分からないものがあるんです</u>。
それで、先生のお時間があるときでけっこうですので、
⑤<u>分からないことばを教えていただきたいんですが…</u>。

B：今日は時間があるから、今見てみましょう。どのくらいあるんですか。

A：分からないところが、かなりあるんですけど…。

B：大丈夫ですよ。

A：⑥<u>お忙しいところすみません</u>。

会話の流れ

1. 話しかける
2. 依頼する

　事情説明1

　前置き

　事情説明2

　依頼する

3. 会話を終える

＜表現・語彙＞解答例

1. ①例：日本語をもっと上手に話したいと思っているので、間違いがあったときは直していただけませんか

　　例：日本語がもっと上手に話したいから、間違いを直してもらえない？

　②例：大学に進学するとき保証人が必要なので、保証人になっていただきたいんですが

2. ①例：すみませんが／そちらの大学を受けようと思っているので

　②例：よかったら／もし持っていたら

14. 先生に訂正を求める

*CD14

<会話を考えよう例>　A：学生（男）　B：先生（女）

A：あのう、①先生、ちょっとよろしいでしょうか。

B：はい、何ですか。

A：あのう、問Ⅱ②なんですが…。

B：はい。

A：この1番、③✓となっているんですが、○じゃないでしょうか。

B：ああ、そうですね。

A：あのう、それから、問Ⅷなんですが…。

B：えっ、問Ⅷ？

A：はい、あのう、－6④じゃなくて、－4じゃないかと思うんですが…。

B：えーと、①と⑥が間違っているから－4。ああ、本当ですね。そうすると、点数は問Ⅱで－4、問Ⅳで－8、問Ⅷで－4だから、84点になるのかな。

A：ええ、すみませんが、⑤直していただけないでしょうか。

B：はい、じゃ、直しておきますね。

A：では、⑥よろしくお願いします。

会話の流れ

1. 話しかける
2. 訂正を求める
   - 前置き
   - 説明1
   - 説明2
   - 訂正を求める
3. 会話を終える

<表現・語彙>解答例

1. ①例：あのう、漢字のテストで×になっているんですが、字が汚いだけで正しいんじゃないでしょうか

   ②例：あのう、先生、宿題を提出していないと言われたのですが、もう提出してあるんじゃないかと思うんですけど…

   ③例：あのう、授業が始まるまでに教室に来ていたんですが、ちょっとトイレに行っていただけなので、遅刻にはならないんじゃないでしょうか

2. ①例：あのう、すみませんが、ここ、正解だと思うんですけど…。もう一度、検討していただけないでしょうか

   ②例：あのう、すみませんが、欠席じゃなくて遅刻じゃないでしょうか

③例：あのう、すみませんが、名簿の名前が間違っていたので直してもらえないでしょうか

15. 手伝いを申し出る

＊CD15

＜会話を考えよう例＞　A：学生　ジョン（男）　B：先生（女）

A：先生、①お忙しそうですね。

B：ああ、ジョンさん。どうしたんですか。何か用？

A：いえ、今まで1階の自習室で勉強していたんですが、何か大きい音がしたので…。②何をしていらっしゃるんですか。

B：あした、学校で進学説明会があるので、先生がたと会場作りをしているんです。

A：ああ、そうですか。会場作り大変そうですねえ。③わたしでよければ、何かお手伝いしましょうか。

B：ええっ、本当？

A：はい。ちょうど勉強も終わって、帰ろうと思っていたところなんです。

B：助かるなあ。じゃ、この机、運んでくれる？

A：はい。

（会場作りが終わって）

B：今日は、本当にありがとう。④ジョンさんのおかげで、ずいぶん早く終わりました。ありがとう。

A：いいえ。

B：じゃ、気をつけて帰ってね。

A：はい、⑤お先に失礼します。さようなら。

B：はい、さよなら。またあした。

会話の流れ
1. 話しかける
2. 申し出る

　事情を聞く

　申し出る

3. 会話を終える

＜表現・語彙＞解答例

1. ①例：あのう、駅までご一緒しましょうか。わたしも駅まで行きますから
　②例：何か作ろうか
　③例：先生、わたしにやらせてください

2．①例：先生のおかげで、面接がうまくいきました。ありがとうございました

②例：今日は手伝ってくれてありがとう。おかげで片付けが早く終わったよ

③例：この間は、教えてくれてありがとう。おかげで助かったよ。本当にありがとう

16. 注文の間違いを言う　　　＊CD16

<会話を考えよう例>　　A：親睦会の幹事の学生（男）
　　　　　　　　　　　B：居酒屋の店員（女）

会話の流れ

1. 苦情を言う

A：あのう…。あっ、来た来た。

B：お待たせしました。「鳥唐揚げ」三つと「焼きうどん」三つです。

A：「焼きうどん」三つ？　あれっ、おかしいなあ。ちょっと待って。（注文票控えで確認する）あのう、「焼きうどん」は①四つです。

苦情1

B：えっ？　そうですか。

A：それにあのう、「ポテトフライ」が②まだ来ていないんですけど…。

苦情2

B：あのう、こちらの注文票では「済み」になっているんですけど、まだ来ていませんか。

A：ええ。そのほかにも③「和風サラダ」がまだなんですけど…。

苦情3

B：あっ、そうでしたか。えーと、それでは、もう一度、確認させていただきます。「鳥唐揚げ」三つ、「焼きうどん」が三つじゃなくて、四つですね。あと、まだお持ちしていないのは、「ポテトフライ」が三つ、「和風サラダ」が三つですね。

A：えーと、「ポテトフライ」は、④三つじゃなくて、四つです。

B：はい、四つですね。

A：あのう、そろそろ親睦会を⑤終わらせたいと思っているので、早く持って来てもらえませんか。

念を押す

B：はい、わかりました。本当にいろいろすみません。すぐ持ってまいりますので、もう少々お待ちください。本当に申し訳ありませんでした。

A：じゃ、よろしくお願いします。

2. 会話を終える

— 23 —

＜表現・語彙＞解答例
1. ①例：あのう、昨日買った野菜が少し傷んでいたんですけど…

   ②例：ドアの前にいつも自転車が置いてあってじゃまになるので、持ち主に注意してもらえませんか

   ③例：先日電話で予約したんですが、予約ができていないんですか。何とかしてもらえませんか

   ④例：使用料金は払ったんですけど…。督促状が届いたんですが、どうなっているんでしょうか

17. ごみの出し方を注意されて謝る　　*CD17

<会話を考えよう例>　A：Bさんの近所に住む人（女）　B：留学生（男）

A：あのう、ちょっと。この段ボールの山、出したのあなたですか。

B：はい。①わたしですが…。引っ越しに使った段ボールなんですが。

A：今日は、何のごみを出す日か知っていますか。

B：はい、燃えるごみを出す日ですよね。

A：そうですよ。だから、段ボールを出す日じゃないんですよ。

B：えっ！　そうですか。段ボールは燃えるごみじゃないんですか。どうもすみませんでした。段ボールは②燃えるごみだとばかり思っていたものですから。

A：いいえ。段ボールは資源ごみですよ。だから、資源ごみの日に出してくださいね。ごみはちゃんと分別して出してくれないと困るんですよねえ。

B：どうもすみません。この地域のごみの分別について③あまりよく知らなかったものですから…。ご迷惑をおかけしました。あのう、ごみの分別について、ちょっと教えていただけませんか。

A：資源ごみはリサイクルして再利用できるもので、段ボール、瓶、缶、などですよ。

B：ええっ！　そんなに！　いろいろなものが再利用できるんですねえ。

A：再利用すれば環境にもいいでしょう。

B：そうですね。

A：この地域のごみの分別のちらし、あとで持っていってあげますね。

B：すみません。④いろいろありがとうございます。

会話の流れ

1. 上手に謝る

　謝る1
　事情説明1

　謝る2
　事情説明2
　謝る3

2. 会話を終える

<表現・語彙>解答例

1. ①例：テレビは粗大ごみだとばかり思っていたものですから。どうもすみません

    ②例：どうもすみません。出し方がよく分からなかったものですから

    ③例：どうもすみません。これから、必ず分けて出すようにします

    ④例：えっ、そうなんですか。夜出したらだめだって知らなかったものですから。ご迷惑をおかけしました。これから気をつけます

2. ①ごみ置き場（ごみ集積所）　②リサイクル　③分別　④ペットボトル

18. 交通事故の状況を説明する

＊CD18

<会話を考えよう例>　A：留学生　チン（男）
　　　　　　　　　　B：学校の職員　田中先生（女）

A：もしもし、田中先生ですか。

B：はい、田中ですが。

A：先生、中級Cクラスのチンですが、自転車で学校へ行く途中、車とぶつかってしまって。

B：えっ、大変！　そ、それで、けがはありませんか。

A：ええ、①大きなけがはしなかったんですが、頭を打ったようでふらふらしてるんです。

B：起きられないんですか。

A：いや、大丈夫です。自転車が②倒れてめちゃくちゃになっちゃったんです。ハンドルが曲がって、車輪が外れちゃって…。

B：え、それで相手の人は？

A：大丈夫です。

B：警察には電話をしましたか。

A：ええ、相手の人が電話してくれて…、今、警察が来るのを③待っているところです。

B：どうしてぶつかってしまったんですか。

A：自転車で左側を走っていて、道の右側に④渡ろうとしたら、後ろから走ってきた車に軽くぶつかってしまったんです。

B：危ないですね。じゃ、警察に事情を説明したら、病院に行ったほうがいいですね。

A：分かりました。病院から⑤またご連絡します。

会話の流れ

1. 事故の状況を説明をする
   - 電話をかける
   - 事故を伝える

   現在の状況
   説明1

   現在の状況
   説明2

   事故の状況
   説明

2. 話を終える

＜表現・語彙＞解答例

1．①例：右側へ曲がろう　②例：後ろから来た自転車にぶつけられて
　　③例：相手の自転車も壊れて　④例：かすり傷ですみました
2．①例：追い越そう　②例：おばあさんにぶつかっちゃった
　　③例：転んで、起きられなくなっちゃった　④例：救急車を待ってる

19. 合宿場所の相談をする　　　　　　　　　　　　　　　　＊CD19

<会話を考えよう例>　　A：学生（男）　B：学生（女）　　　　　　　　会話の流れ

A：ねえ、夏休みの合宿のことだけどさあ、
　　このひまわり荘①なんかどうかな？

B：へえ、3食付いて5,500円なんて安いね。

A：うん、今どき珍しいよ。できるだけ②安いほうがいいんじゃ
　　ないかと思って。それにバスで2時間半だし。

B：そうだね。でも、この青山湖はどう？　もっと近いよ。

A：バスで1時間半か。それに温泉もあるんだ！　いいね。でも、
　　③8,000円なんてちょっと高くない？

B：うん。それはそうなんだけど、④近い所のほうがいいんじゃな
　　いかなと思って。みんなバイトなんかで忙しいから。

A：確かにそうだけどね。

B：そうそう、それにここはプールもあるんだよ。テニスして汗か
　　いたあとで泳ぐのもいいんじゃない？

A：うん…暑いし、プールも魅力があるけどね…。でも、やっぱり
　　⑤もう少し安いほうがいいんじゃない？　みんながみんなお金
　　に余裕があるわけじゃないし。

B：そうか。そうだね。富士ヴィレッジは安いけどちょっと遠すぎ
　　るし。何て言ってもこの5,500円は格安だしね。

A：そう。経済的に大変な学生だって多いし。

B：うん、分かった。じゃ、ひまわり荘にしよう！

A：うん、じゃあ、これで決まり！

会話の流れ:
1. 話しかける
2. 提案する
　理由を言う
　意見を言う
3. 会話を終える

<表現・語彙>解答例

1. ①例：なんかどうかな　②例：がいいんじゃない　③例：相談してみない
　　④例：したらどうでしょうか　⑤例：まとめてみませんか
　　⑥例：などはいかがでしょうか　⑦例：がいいのではないでしょうか

20. 面接の練習をする

*CD20

<会話を考えよう例>　A：山川日本語学校の学生　チェ・ショウ（女）
　　　　　　　　　　B：日本語学校の先生（男）

A：（ドアをノックする）①<u>失礼します。</u>

B：どうぞ、お座りください。学校とあなたのお名前を言ってください。

A：山川日本語学校の②<u>チェ・ショウと申します。</u>

B：チェさんはどうしてこの学校を選びましたか。

A：先輩から、こちらの学校は③<u>授業内容がいいだけでなく、留学生のサポートも充実していると聞きました。</u>

B：そうですか。国際観光科で特に何を勉強したいですか。

A：ガイドになるための知識や技術を学びたいです。在学中に通訳ガイドの資格も取得したいと考えています。

B：卒業後はどうするつもりですか。

A：はい、国に帰って観光会社に④<u>勤めるつもりです。</u>

B：そう、頑張って勉強してくださいね。

A：はい、⑤<u>頑張りますのでよろしくお願いします。</u>

（5分後、面接終了）

B：はい、分かりました。では、これで面接は終わりです。お疲れさまでした。

A：はい、⑥<u>ありがとうございました。</u>失礼します。

会話の流れ

1. 面接で答える
   - あいさつ
   - 選択理由
   - 目標
   - 将来の抱負
   - あいさつ
2. 会話を終える

<表現・語彙>解答例

1. ①例：との貿易のいろいろな可能性について学びたいです
   ②例：経験があるので、何でもできます。ぜひやらせていただきたいです
2. 自由解答

21. 進学について教えてもらう　　　*CD21

<会話を考えよう例>　A：学生（女）　B：大学生（男）

A：先輩、①お久しぶりです。大学生活はどうですか。

B：うん、忙しいけど楽しいよ。

A：ところで、今日は先輩に、ちょっと②相談したいことがあるんですが…。

B：うん、何？

A：実は、今年③進学しようと思っているんですが、まだ具体的にどうすればいいのか分からないんです。

何から④準備すればいいでしょうか。

B：そうだね、まず、受験の計画を立てたほうがいいよ。

A：受験の計画ですか。なるほど。

B：そう、それから進学したい学校の「オープンキャンパス」に参加するといいよ。

A：はあ、「オープンキャンパス」⑤って何ですか？

B：「オープンキャンパス」っていうのは、受験生のために大学や専門学校を開放して見学させてくれることだよ。

A：ああ、そうですか。おもしろそうですね。

B：うん、あと、「願書」を取り寄せて、「出願に必要な書類」を準備して、「面接練習」かな。

A：へえ、いろいろ大変なんですね。

B：そう。だから早く準備したほうがいいよ。

A：本当ですね。今日はどうもありがとうございました。

B：うん、また何かあったらいつでも相談して。

A：はい、⑥よろしくお願いします。

会話の流れ
1. 話しかける
2. 助言を求める
　前置き
　事情説明
　助言を求める
　質問する
　お礼を言う
3. 会話を終える

＜表現・語彙＞解答例

1. ①例：あのう、「キャンパスツアー」に参加しようと思っているんですが、どうやって行けばいいでしょうか

    ②例：あのう、ゼミについてお聞きしたいんですが、どなたに伺えばよろしいでしょうか

    ③例：あのう、研究生になりたいと思っているんですが、どうすればいいでしょうか

    ④例：あのう、奨学金をもらいたいんですが、どうしたらいいでしょうか

2. ①例：あのう、「ゼミ」って何ですか

    ②例：あのう、「研究生」と「大学院生」ってどう違うんですか

    ③例：あのう、「面接試験」ってどんなことを質問されるんですか

22. 友達と意見を出し合う

＊CD22

<会話を考えよう例>　A：学生（男）　B：学生（女）

A：あのさ、今度の交流会は、グループ対抗のボーリング大会がいいと思うんだけど…。

B：①それもいいけど、たまには外でのびのびしたいなあ。近くの川でバーベキューっていう案はどう？

A：バーベキューも②いいけど、やっぱりボーリング大会のほうが盛り上がるよ。

B：③そうかなあ、前回も卓球大会で室内だったし、今度は、自然の空気を吸おうよ。バーベキューやゲームで盛り上がるよ。

A：④でも、今月は、駅前のボーリング場が1ゲーム350円で⑤安いのも魅力だよ。バーベキューは、次にしようよ。

B：んー、そうだねぇ…。でも、ボーリングはほかにもお金がかかりそうだし、バーベキューのほうが⑥お金がかからないよ。

A：⑦そりゃ、そうだけど、外は天気が気になるよね。雨が降ったら悲惨だよ。準備だって大変だしさ。

B：そうだね、最近、雨が多いしね。じゃ、⑧ボーリングにしようか。

A：うん、そうしよう。

会話の流れ

1. 意見を出し合う

　意見を言う

　反論し合う

　⬇

　意見をまとめる

2. 会話を終える

<表現・語彙>解答例

①例：っていうこともあるよ

②例：確かに、いいです／いいと思います

③例：なるほど／確かに、ありますが